Cuaderno de ejercicios

ABANICO

NUEVA EDICIÓN

María Dolores Chamorro Guerrero
Gracia Lozano López
Pablo Martínez Gila
Beatriz Muñoz Álvarez
Francisco Rosales Varo
José Plácido Ruiz Campillo
Guadalupe Ruiz Fajardo

Con la colaboración de
Neus Sans

ABANICO NUEVA EDICIÓN
Cuaderno de ejercicios

Autores
María Dolores Chamorro Guerrero
Gracia Lozano López
Pablo Martínez Gila
Beatriz Muñoz Álvarez
Francisco Rosales Varo
José Plácido Ruiz Campillo
Guadalupe Ruiz Fajardo

Coordinación pedagógica
Neus Sans

Coordinación editorial
Pablo Garrido

Redacción
Olga Juan Lázaro

Diseño y maquetación de cubierta
Difusión

Ilustraciones
Ángel Viola, 1995

Fotografías
© cubierta Difusión; interior Juan Francisco Macías López

Reimpresión: julio 2014
ISBN: 978-84-8443-687-4
Depósito legal: B-13852-2013
Impreso en España por Raro

difusión
Centro de Investigación y Publicaciones de Idiomas, S. L.

C/ Trafalgar, 10, entlo. 1ª
08010 Barcelona
Tel. (+34) 93 268 03 00
Fax (+34) 93 310 33 40
editorial@difusion.com

www.difusion.com

Índice

Unidad 1. La cara es el espejo del alma 7
Descripción física y de la personalidad.

Unidad 2. Érase una vez 15
Hablar del pasado.

Unidad 3. Busque, compare, y si encuentra algo mejor 24
Análisis y creación de anuncios publicitarios.

Unidad 4. Vivir del cuento 32
Contar historias.

Unidad 5. Cosas de casa 40
Definir y dar instrucciones.

Unidad 6. Vete tú a saber 51
Mostrar acuerdo y desacuerdo. Expresar hipótesis y probabilidad.

Unidad 7. El correveidile 60
Repetir, contar y resumir lo dicho.

Unidad 8. Las cosas del querer 71
Dar consejos y expresar gustos, deseos y sentimientos.

Unidad 9. Al pie de la letra 79
Análisis y redacción de noticias.

Unidad 10. Suspiros de España 86
Organizar el discurso.

Unidad 11. De colores 93
Descripción y valoración abstracta.

Unidad 12. Si tú me dices ven 102
Expresar condiciones y argumentar.

Tests 111

Soluciones disponibles en http://www.difusion.com/soluciones-ce-abanico

Prólogo

Abanico es un curso de español de nivel B2 destinado a estudiantes que, una vez superado un nivel B1 y ya capaces de satisfacer sus necesidades comunicativas básicas en la vida diaria, quieren afianzar sus conocimientos, adquirir seguridad y al mismo tiempo acceder a nuevos ámbitos de la comunicación.

El Cuaderno de ejercicios pretende ser un complemento, una fuente de recursos de práctica adicional que va siempre paralela al Libro del alumno, y por eso también se articula en doce unidades de diferente contenido, de manera que se tratan una por una las cuestiones de cada unidad pero proporcionando nuevas oportunidades para usar la lengua, nuevos contextos y nuevas ocasiones para reflexionar.

La tipología de actividades es muy amplia (ejercicios y juegos de vocabulario, de gramática de la frase y del texto) y de formatos muy diferentes (desde frases con huecos hasta crucigramas y dameros), pero si el Libro del alumno estaba fundamentalmente pensado para la clase, éste está concebido para el trabajo individual: pretende ayudar al estudiante que necesita una guía

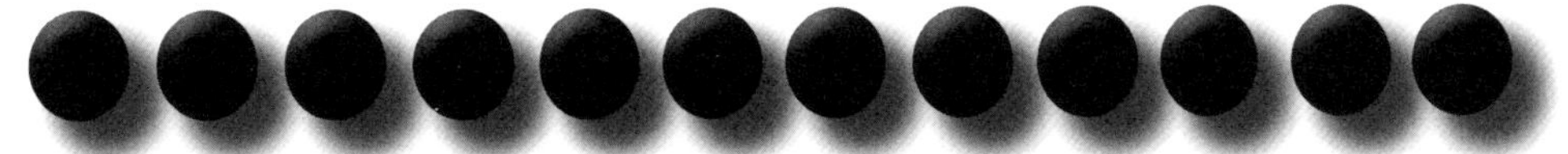

para la reflexión y una clase de ejercicios que pueda hacer a su propio ritmo. Los ejercicios son muy diferentes a los del Libro del alumno porque sabemos que no todos los aprendices son iguales y que hay muchos que necesitan el trabajo solitario y reflexivo que permiten los ejercicios más tradicionales. Todas las páginas que siguen están pensadas para que se hagan de forma independiente, pero se pueden convertir fácilmente en ejercicios de clase con sólo proporcionarles un formato adecuado a las características de la interacción en el aula.

Cada unidad termina con un test de elección múltiple, A ver si te acuerdas..., que el profesor puede utilizar como examen o del que el estudiante puede servirse como pretexto para una autoevaluación.

Al final aparecen las soluciones de los ejercicios planteados como crucigramas, sopas de letras, dameros, etc., y de los apartados "A ver si te acuerdas...". Además, para esta nueva edición, se han incorporado los tests de cultura, vocabulario y gramática que hasta ahora se podían encontrar en el Libro del profesor.

La cara es el espejo del alma

Reflexoterapia

¿Sabes dar masajes? Son una buena manera para curar dolencias de diversas partes del cuerpo. Por ejemplo, si presionas con insistencia y cariño ciertas partes de la mano, puedes conseguir que otras partes del cuerpo se relajen y que incluso se curen. En este ejercicio aprenderás a hacerlo. Localiza primero los nombres de las diferentes partes del cuerpo. Cada parte del cuerpo tiene un número que se corresponde con las zonas de la palma de la mano derecha. Escribe qué parte del cuerpo corresponde a cada número y sabrás dónde hay que dar el masaje exactamente. Relájate. Manos a la obra.

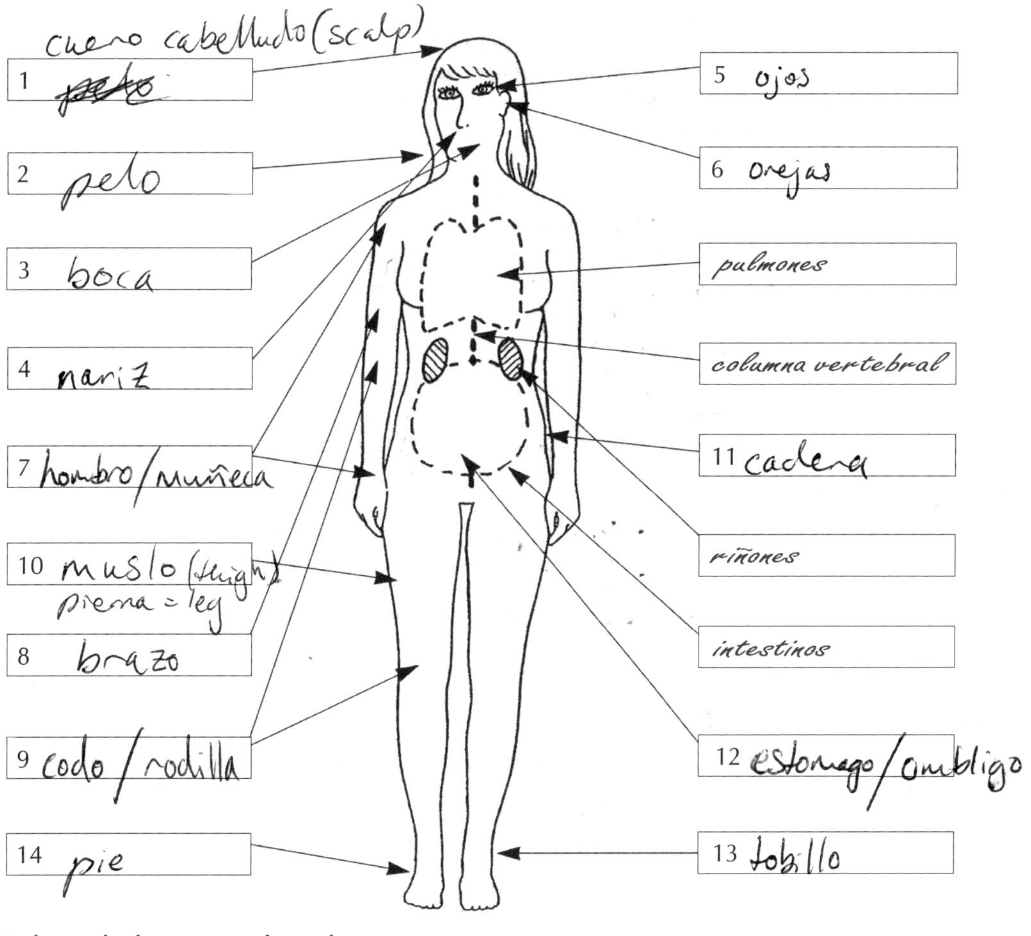

Palma de la mano derecha:

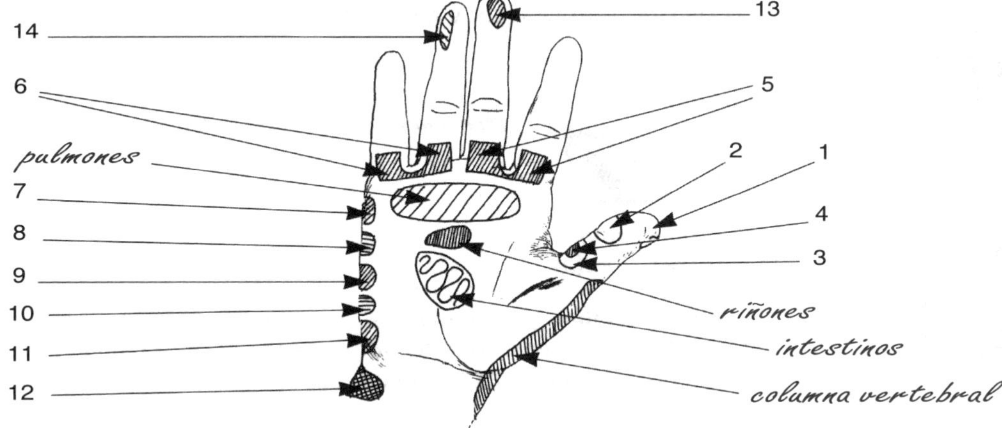

La cara es el espejo del alma

Sustituye lo que está en negrita por una de las expresiones de la caja, pero no olvides poner el verbo en la forma correcta:

1. Esteban sale ahora con otra gente y **no hace caso** a los amigos de siempre. ______________________
2. Mi mujer siempre **me está reprochando** que no hago nada en casa y, la verdad, es que lleva razón. ______________________
3. Andrés es muy poco diplomático: **dice todo lo que piensa aunque sea muy brusco o grosero**. ______________________
4. Javier **sospecha que algo pasa** con su novia; debería hablar con ella directamente y no dejar pasar más tiempo. ______________________
5. Si fuera un poco valiente, **le diría directamente** a mi jefe lo que pienso, pero me parece que, si lo hago, me cuesta el puesto de trabajo. ______________________
6. Antonio **no es muy inteligente**: se prepara los exámenes la noche antes y con cerveza. ______________________
7. **No te burles de** Emma, ¿no ves que es más pequeña que tú? ______________________
8. • Me pidió el coche para un rato y se fue con él todo el fin de semana.
   ○ **¡Qué poca vergüenza!** ______________________
9. Fernando es un presumido, se cree que siempre es **el centro de atención**. ______________________
10. **Quítame la mano de encima**, que nos está mirando todo el mundo. ______________________

ser el ombligo del mundo	ser un(a) caradura
no tener dos dedos de frente	meter mano
dar la espalda	tener la mosca detrás de la oreja
tomar el pelo	decir las cosas a la cara
echar en cara	no tener pelos en la lengua

¿Qué querías ser cuando eras pequeño? ¿Te has convertido en la persona que querías? Escribe un pequeño texto sobre lo que **has llegado a ser**, lo que **te has vuelto**, cómo **te has puesto**, en qué **has terminado**...

A todos nos gustaría ser un poco diferentes. Imagina que eres millonario y has decidido ponerte en manos de un fabuloso cirujano plástico. Haz la lista de las cinco cosas que cambiarías y explica cómo te gustaría que quedaran, por ejemplo:

Me encantaría tener las cejas más finas.

Completa con **ser** o **estar**:

Ernesto Zúñiga (**era / estaba**) ______ un muchacho bastante tímido para la edad que tenía. (**Era / Estaba**) ______ hijo único y había tenido la suerte de nacer en el seno de una familia adinerada. (**Era / Estaba**) ______ alto, delgado y tan rubio que no parecía español. Su carácter le había hecho aislarse de todo y de todos para dedicarse a su gran afición: los animales. A la edad de dieciocho años ya (**era / estaba**) era un experto conocedor de la fauna ibérica y en tres años había conseguido licenciarse en zoología por la universidad más prestigiosa del país. Todo (**era / estaba**) estaba en orden en su vida, pero sólo aparentemente, porque, en el fondo de su corazón, (**era / estaba**) estaba cansado de estudiar, así que decidió hacer algo más que (**ser / estar**) estar metido en un laboratorio y durante todo el verano (**fue / estuvo**) fue de cuidador de animales en un zoológico.

Al principio (**era / estaba**) estaba un poco preocupado por su inexperiencia -¡increíble pero cierto!-, pero al poco tiempo (**era / estaba**) estaba acostumbrado a su nueva vida y pensaba que (**era / estaba**) estaba una persona feliz cuidando a los animales que tanto había estudiado. Los conocía a todos, les hablaba, (**eran / estaban**) estaban su familia, les dedicaba todo su tiempo, especialmente si veía que alguno (**era / estaba**) estaba enfermo o triste. Con sus compañeros de trabajo no se trataba mucho, nunca se le había dado bien el trato con la gente porque no (**era / estaba**) era muy abierto. De hecho, no tenía nunca éxito en sus relaciones. Pero todo cambió a partir de aquel día en que conoció a Mª Eugenia. Tenía que hacer algo. Para Ernesto ella (**era / estaba**) estaba la más guapa, la más inteligente; sus ojos brillantes y su pelo negro lo fascinaban. (**Era / Estaba**) Estaba siempre atento a cualquier paso que ella pudiera dar y a cualquier síntoma que le permitiera saber si ella sentía lo mismo que él, pero no se atrevía a decirle nada. Un día se decidió, después de pensar en ello toda la noche: tenía que saber si ella también (**era / estaba**) estaba enamorada de él y para ello (**era / estaba**) ______ imprescindible acercarse a ella, así que la invitó a comer con él. Aquel día también ella parecía (**ser / estar**) ~~estar~~ ser de muy buen humor y aceptó la invitación. A él le pareció una buena oportunidad declararle su amor con la mejor comida que jamás hubiera probado... A ella le encantó y se sintió tan agradecida que al final, antes de que él pudiera decir nada, le dio un beso. Ernesto no podía creerlo, (**era / estaba**) era el hombre más feliz del planeta.

A la mañana siguiente, el cielo (**era / estaba**) era más azul que nunca y (**era / estaba**) era claro que algo había empezado entre ellos. Ernesto madrugó para ir a verla a su trabajo. Fue al lugar donde sabía que podía encontrarla pero ella no (**era / estaba**) estaba allí. La buscó por todas partes y no la encontró. (**Era / Estaba**) Era desesperado. Sólo cuando volvió otra vez a donde ella debía esperarlo, se dio cuenta de que la jaula estaba abierta. De su amor sólo quedaban los restos de aquellos plátanos que él con tanto cariño le había preparado la noche anterior. Toda su vida siguió pensando que Mª Eugenia (**era / estaba**) era la más mona.

Por cierto, ¿sabes lo que significa **ser mono/a**?

¿Por qué no intentas expresar lo mismo que dicen estas frases sustituyendo lo subrayado por una frase con ser o estar, como en el ejemplo?

1. Ayer me sentía cansada.

Ayer estaba cansada.

2. Tuve que ausentarme **por enfermedad** durante dos días pero ya **se me ha pasado**. Últimamente **no me encuentro muy sano**.

estuvo enfermo estoy bien

estoy muy bien

3. Lo siento, pero el director tiene mucho trabajo. Si **tiene tanto interés**, hable con su secretario.

es interesado

4. Esto **no tiene ninguna lógica**: ayer hicimos las cuentas y **salieron bien**. Hoy las volvemos a hacer y faltan 500 euros.

no es lógico estaban bien.

5. Si no **prestas atención**, ¿cómo pretendes demostrar que **vales**?

se ~~está~~ no has ~~sido~~ estado dado atención ~~está~~ eres valido

6. Los mangos **sabían muy bien** pero los albaricoques **los habían recogido demasiado pronto**.

estaben buenos no estaben listos para comer.

7. Comprender la diferencia entre **ser** y **estar** no es fácil. Mario Benedetti intenta explicarla en su poema «Ser y estar». Nos define una mujer que **es buena** y una mujer que **está buena**, un hombre que **es listo** y un hombre que **está listo**. Comprueba si entiendes qué significan estas frases colocando en el lugar correcto los fragmentos de los versos que faltan, que están desordenados en la siguiente página (una pequeña ayuda: los puntos suspensivos indican cuántas palabras hay antes o después).

SER Y ESTAR

Oh marine
oh boy
una de tus dificultades consiste en que no sabes
distinguir el ser del estar
para ti todo es to be

así que probemos a aclarar las cosas

por ejemplo
una mujer es buena
cuando ~~evade la conciencia y los impuestos~~ entona desafinadamente los salmos
y cada dos años cambia el refrigerador
y envía mensualmente su perro al analista
y sólo enfrenta el sexo los sábados por la noche.

en cambio una mujer está buena
cuando las miras y pones los perplejos ojos en blanco.

y la imaginas y la imaginas
y hasta crees que tomando un martini
pero ni así y tendrá el coraje.

por ejemplo
un hombre es listo
cuando obtiene millones por teléfono
y ~~[illegible]~~ evade la conciencia y los impuestos
y abre una buena póliza de seguros
a cobrar cuando llegue a sus setenta
y sea el momento de viajar en excursión a capri
[y a parís
y consiga violar la gioconda en pleno Louvre
con la vertiginosa polaroid

en cambio
un hombre está listo
cuando ustedes
oh marine
oh boy
aparecen en el horizonte
para inyectarle democracia.

VERSOS

... evade la conciencia y los impuestos
y hasta crees que tomando un martini te vendrá el coraje
... la imaginas y la imaginas y la imaginas
... obtiene millones por teléfono
... consiga violar a la gioconda en pleno louvre
... la miras y pones los perplejos ojos en blanco
... ... enfrenta el sexo los sábados de noche
aparecen en el horizonte
para inyectarle ...
... envía mensualmente su perro al analista
a cobrar cuando llegue a sus setenta
... ... cambia el refrigerador
... entona desafinadamente los salmos

¿Recuerdas la actividad en la que tenías que describir de dos maneras diferentes un tipo de carácter (ejercicio 11 de la unidad 1)? Bueno, pues ahora tienes que hacer lo mismo pero con todas estas otras palabras:

severo **influenciable** **travieso**

superficial **sarcástico** **terco**

ingenuo **tenaz** **indiscreto**

presumido **competente**

¿Cuáles crees que son los adjetivos que corresponden a estas cualidades?

sencillez	sencillo	**diplomacia**	diplomático	**inquietud**	inquieto
sensatez	sensato	**egoísmo**	egoísta	**inseguridad**	inseguro
sensibilidad	sensible	**espontaneidad**	espontáneo	**inteligencia**	inteligente
sinceridad	sincero	**frialdad**	frío	**locura**	loco
tacañería	tacaño	**fuerza**	fuerte	**naturalidad**	natural
creatividad	creativo	**generosidad**	generoso	**objetividad**	objetivo
independencia	independiente	**idealismo**	idealista	**pereza**	perezoso
ingenuidad	ingenuo	**idiotez**	idiota	**pesimismo**	pesimista
cursilería	cursi	**impaciencia**	impaciente	**rapidez**	rápido
debilidad	débil	**superficialidad**	superficial	**irresponsabilidad**	irresponsable

Mirando la lista anterior, ¿por qué no piensas cuáles son ...

– tus mejores virtudes?

Soy bastante creativa y independiente
Me madre me dice que
soy inteligente.

– tus peores defectos?

Soy un poco perezoso.

Soy demasiado impaciente también.

La vida es sueño

El psicoanalista Jorge Alberto Gómez Bonatti te ha mandado esta carta para pedirte ayuda:

Soria, 4 de octubre

Estimado colega:

Si tienes tiempo, te agradecería que me ayudaras a interpretar algunos sueños de mis pacientes. Yo ya tengo una opinión, pero me gustaría contrastarla con la tuya. Te mando un ejemplo y algunas claves de interpretación de símbolos que a mí me han sido muy útiles. Mil gracias,

J.A.G. Bonati

CLAVES:

La casa: la totalidad de la persona humana
El agua: el nacimiento y la relación maternal
El rey, el emperador: la figura paterna
Los insectos: los hermanos
El viaje: la muerte
La habitación: el seno materno

" Soñé que el presidente estaba en mi casa cenando y después se iba de viaje sin despedirse".

Las figuras de autoridad simbolizan en los sueños a la figura de autoridad por excelencia: el padre. Si el sueño es positivo significa que la relación con el padre es gratificante, pero en caso de que el sueño sea negativo, como en este ejemplo, hay que buscar otras posibles interpretaciones. La huida, el viaje, representa la muerte, real o temida, de una persona cercana y, en este sueño, revela el miedo del individuo a la muerte del padre. Es un caso típico de sueño infantil que muestra muy bien el temor a sentirse desprotegido.

Escoge ahora alguno de estos sueños y escribe tu interpretación para ayudar a Jorge Alberto:

"Soñé que estaba en el mar nadando y que, ya en la orilla, un montón de insectos me impedían llegar a la playa".

"Soñé que no podía salir de mi habitación y que, cuando por fin pude salir, toda la casa era una sucesión de habitaciones iguales".

"Soñé que estaba en una estación y me obligaban a coger un tren que yo no quería. Estaba lloviendo muchísimo y yo sabía que si no cogía el tren nunca podría salir de la estación".

"Soñé con un pasillo muy largo lleno de puertas abiertas. Había muchos grifos abiertos de los que salía agua, y había mucha gente subida encima de sillas porque les daba miedo mojarse".

¡Enhorabuena! Has conseguido un empleo en el departamento de recursos humanos de una importante empresa gracias a tus conocimientos en grafología. Lo primero que te han encomendado es examinar las firmas de tres candidatos para un importante puesto de ejecutivo: redacta un breve informe para tu director razonando tus conclusiones. Aquí tienes las tres firmas:

La cara es el espejo del alma

A ver si te acuerdas...

1. Los pelos que tenemos en los párpados (no sobre los párpados) se llaman ....
a. cabellos
b. cejas
c. pestañas
d. pómulos

2. Cuando no te fías de alguien dices que tienes la mosca detrás de ....
a. la lengua
b. el pie
c. la oreja
d. la nariz

3. Después de llevar años estudiando teología, George .... trabajando en una sala de strip-tease.
a. ha terminado
b. ha llegado
c. se ha puesto
d. ha cocinado

4. Antonio Carmona es ése de la nariz ...., ¿verdad?
a. cejijunta
b. poblada
c. pelirroja
d. aguileña

5. Andrés no tiene los ojos ...., los tiene verdes.
a. morenos
b. calvos
c. marrones
d. canosos

6. Sí, José es profesor de español pero, en verano ....con su moto.
a. lleva de mensajero
b. es mensajero
c. va de mensajero
d. está de mensajero

7. Este libro ....de papel reciclado.
a. es
b. hace
c. tiene
d. está

8. Pero, Guada, ¿qué te has hecho en el pelo? ¡......... horrorosa!
a. Eres
b. Llevas
c. Haces
d. Estás

9. Si **estoy muy cansada de algo**, es que ....
a. te has puesto cansada
b. me he vuelto cansada
c. soy harta
d. estoy harta

10. Cuando algo **es completamente necesario** es porque ....
a. es prescindible
b. es imprescindible
c. está imprescindible
d. hace necesidades

11. Emma .... muy contenta con su nueva escuela.
a. está
b. es
c. lleva
d. se ha hecho

12. Lola .... , tiene gripe.
a. es mala
b. es enferma
c. está mala
d. es mal

13. Andrés está de mal humor. .... por lo de su novia.
a. Tiene enfadado
b. Está enfadado
c. Es enfadado
d. Tiene mal sabor

14. Para ordenar la información de un texto puedes usar **por otro lado**, **por otra parte** y ....
a. por último
b. últimamente
c. al fin
d. por favor

15. Si te gusta mucho divertirte y poco pensar en cosas serias eres un poco ....
a. frívolo
b. sensato
c. apático
d. austero

16. Una persona muy **perezosa** tiene, valga la redundancia, ...
a. perecidad
b. pereza
c. perecialidad
d. perezura

17. La **sinceridad** es la cualidad de las personas que dicen siempre la verdad, de los ....
a. sincerosos
b. sinceros
c. sincerales
d. sinceristas

18. Lo contrario de la **generosidad** es la ....
a. tacañería
b. debilidad
c. ingenuidad
d. insensibilidad

19. Tu letra es angulosa y ....que tienes un carácter fuerte.
a. eso significa
b. por último
c. sin embargo
d. en cambio

20. Quevedo, el escritor que aparece al final de esta unidad, describe a su personaje, el Dómine Cabra, como un hombre de apariencia ....
a. elegante
b. espontánea
c. miserable
d. armoniosa

Érase una vez

Escribe correctamente el Indefinido de estos verbos y después, si lees verticalmente las letras de las casillas marcadas, obtendrás el nombre de un famoso escritor español del siglo XV:

(DECIR, ellos)
(HACER, él)
(RONCAR, yo)
(REGAR, yo)
(SABER, ellos)
(PEDIR, nosotros)
(LLEGAR, vosotros)
(CONDUCIR, usted)
(TRAGAR, tú)
(DAR, yo)
(EXPLICAR, yo)
(CABER, nosotros)
(CAER, ellos)

El escritor es: _ _ _ _ _ _ _ _ _ _ _ _ _ (1440-1479).

En estas cuatro líneas de letras sin sentido están escondidos diez marcadores de tiempo. Encuéntralos, leyendo las líneas de izquierda a derecha o de derecha a izquierda, y clasifícalos en las dos columnas de abajo:

CASERPMEISPORSITECADEELOTRODIAFEYOGILAMANERAYOHRI
MUCHASVECESVACILAHOYNDOUNCOPOHACEUNRATOMARQUEYUHZAPO
XAPTODAMIVIDAHALÑECOBREAROHAATSAHCOLDAANTEANOCHEV
FENENNAVIDADESRECARFEJOPLIESTADECADAPLEXIGLASITOB

con Pretérito Perfecto:	con Pretérito Indefinido:

¿Perfecto o Indefinido?

1. Me parece que hasta ahora (ENTENDER, yo) __________ todas las explicaciones.
2. Creo recordar que en aquella ocasión nos (ACOMPAÑAR) __________ el Ministro de Asuntos Exteriores.
3. Las vacaciones, desgraciadamente, (TERMINARSE) __________ a principios del mes pasado.
4. ¿Estás buscando a Esther? Pues hace sólo diez minutos que (MARCHARSE) __________ pero seguro que vuelve pronto.
5. Aquel verano (DEJAR, nosotros) __________ de vernos y, desde entonces, muchas veces (INTENTAR, yo) __________ volver a verlo, pero hasta este momento (SER) __________ imposible.
6. Estos últimos meses María Isabel no (ESTAR) __________ muy bien de salud. Ya sabes que en marzo (CAERSE) __________ con la moto y no llevaba el casco puesto.
7. Cuando estudiaba en la universidad (CONOCER, yo) __________ a muchos de los que hoy son mis amigos.
8. Hace ya muchos años José (CASARSE) __________ con una actriz, pero (DIVORCIARSE) __________ al cabo de unos meses. Y ahora (VOLVER) __________ a casarse otra vez.
9. Estos últimos tres años (SER) __________ los mejores de mi vida.
10. Cuando vivías en Madrid, ¿(IR, tú) __________ alguna vez a un bar que se llama “Rock Ola”?

Lee con atención el principio de este pequeño cuento para niños. Elige la opción correcta para completar el texto. Luego puedes continuar tú la historia.

EL GATO BASILIO

Érase una vez un barco de vela que **navegaba / navegó** por el mar tranquilamente. En el barco **había / hubo** muchos animales: un oso, un pingüino, un mono, una oveja, y un gato... Todos **eran / fueron** muy felices. El oso, el más grande **fue / era** el capitán, porque era el más fuerte de todos los animales del barco. Pero un día que **hizo / hacía** mucho, mucho viento, el barco **empezaba / empezó** a moverse tanto, que todos los animales se **caían / cayeron** al mar. Afortunadamente, todos **sabían / supieron** nadar, menos el oso. “Socorro, socorro”, **dijo / decía** el pobre oso. Así que el pingüino, que **sabía / supo** nadar muy bien, **fue / iba** corriendo a ayudarle. Lo tranquilizó y nadaron juntos hacia una pequeña isla a la que ya **estaban llegados / habían llegado** el resto de los animales. El oso Pepito y el pingüino Alfonso llegaron al final a la isla. Todos **estuvieron / estaban** muy contentos de estar otra vez juntos. Pero el barco todavía **estaba / estuvo** en el mar, ahora vacío, y bastante destrozado por el viento.

El oso, el pingüino, el mono, la oveja y el gato, que se **llamó / llamaba** Basilio, se **sentaron / sentaban** en la playa para mirar muy tristes cómo el barco **se movía / se movió** en el mar solo. Todos **estuvieron / estaban** muy tristes. Entonces el oso **se ponía / se puso** a llorar, y el pingüino, el mono y la oveja también. Pero el gato Basilio, no. Él **fue / era** mucho más valiente que sus amigos. De repente, Basilio **tuvo / tenía** una idea fantástica...

____
____
____
____
____
____
____
____
____
____
____

Recuerda lo que has visto en las páginas 38 y 39 del *Libro del Alumno*, piensa en un contexto donde sea posible decir cada una de estas cosas, y completa, después, cada intervención:

Se cayó al agua...
y tuvieron que rescatarlo con un salvavidas.
Pasó en un momento concreto.
Se caía al agua...
cada vez que se acercaba al borde de la piscina.
Pasaba habitualmente.

1.- Tuvo bigote y barba ____________	- Tenía bigote y barba ____________
2.- Estaba haciendo la comida ____________	- Estuvo haciendo la comida ____________
3.- Fue a levantarse de la cama ____________	- Se levantó de la cama ____________
4.- Estaba casado con Celia ____________	- Estuvo casado con Celia ____________
5.- Al niño lo llamaron Pepe ____________	- Al niño lo llamaban Pepe ____________
6.- Había estado discutiendo con su jefe ____________	- Ha estado discutiendo con su jefe ____________
7.- Iba a empezar a trabajar ____________	- Empezaba a trabajar ____________

Daniel Stenius es sueco. Está estudiando en España y para practicar escribe su diario en español. Como verás, a veces tiene problemas con los tiempos verbales. ¿Puedes ayudarle? Corrige los errores que encuentres.

1. Ayer por la tarde me llamó Miriam para ir a cenar con ella y unos amigos. Le dije que no sabía si podía ir porque tenía mucho trabajo.
2. LLegué al restaurante, que estuvo bastante lejos del centro, un poco tarde pero no tomé nada porque ya cené en casa.
3. Después fuimos a tomar una copa y terminamos a las tantas. Bebimos y bailamos toda la noche: hace mucho tiempo que no lo pasé tan bien.
4. Y hoy por la mañana, claro, he tenido un horrible dolor de cabeza que todavía no se me pasó. Ya voy por la sexta aspirina y nada.
5. Lo peor es que ahora tengo que terminar el trabajo que ayer no pude acabar a causa de la cena.
6. La verdad es que últimamente hubo en mi vida muchos imprevistos que no me dejan trabajar en paz: fiestas, viajes, llamadas de Miriam... Y así, hasta este momento sólo escribí dos páginas del trabajo que tengo que entregar en mayo.
7. Y esta tarde, como no me he encontrado muy bien, la he pasado frente a la televisión viendo "Con faldas y a lo loco" por quinta vez. Me encanta Wylder.
8. Ya está. Me he sentado frente a la máquina de escribir, he releído lo que escribí ayer antes de la llamada de Miriam y ahora mismo empiezo a trabajar.

¿Has estado alguna vez en una fiesta en un yate? Lo más probable es que no, claro, y eso mismo le ocurría a Belén hasta que Álvaro Münch la invitó a una hace unos días. Fíjate en cómo empieza Belén a contar sus experiencias porque después tú vas a tener que ayudarla a completar y terminar el relato.

Anoche estuve en el yate de los Munich, y la verdad es que fue una experiencia increíble. El barco era enorme, tenía luces por todas partes. Y nada más llegar, Álvaro me presentó a sus padres, unos señores encantadores. Él, guapísimo, como Álvaro, y ella llevaba un traje precioso que le debía haber costado carísimo.

Después entramos y Álvaro (PRESENTARME) __________ a algunos amigos suyos. A algunos ya los (CONOCER) __________, pero a la mayoría no los (VER) __________ nunca. (HABLAR, nosotros) __________ y (BEBER) __________ durante un buen rato hasta que Álvaro (SACARME) __________ a bailar. (BAILAR) __________ él y yo una media hora, rumbas, tangos, valses... de todo, ¡Y cómo baila Álvaro! Pero justo en el momento en que la orquesta (TOCAR) __________ mi canción favorita, (OCURRIR) __________ algo realmente terrible.

Y ahora continúa tú escribiendo la historia.

Aquí tienes el principio de la historia entre Esther y Manuel:

Esther y Manuel se conocieron en un bar cuando en la radio sonaba una canción de Alejandro Sanz y él la sacó a bailar.

Ahora continúa tú el relato uniendo los elementos de estas dos columnas. Los de la columna de la izquierda están ya bien ordenados.

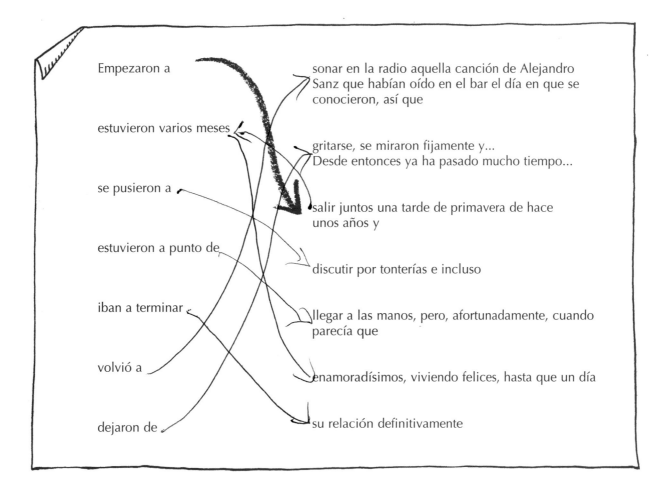

Empezaron a	sonar en la radio aquella canción de Alejandro Sanz que habían oído en el bar el día en que se conocieron, así que
estuvieron varios meses	gritarse, se miraron fijamente y... Desde entonces ya ha pasado mucho tiempo...
se pusieron a	salir juntos una tarde de primavera de hace unos años y
estuvieron a punto de	discutir por tonterías e incluso
iban a terminar	llegar a las manos, pero, afortunadamente, cuando parecía que
volvió a	enamoradísimos, viviendo felices, hasta que un día
dejaron de	su relación definitivamente

El jueves pasado Sofía tenía un examen muy importante. Aquí tienes las imágenes que resumen lo que hizo el miércoles por la tarde. ¿Por qué no lo cuentas *detalladamente*?

a.____________________

b.____________________

c.____________________

d.____________________

e.____________________

f.____________________

Y ahora vas a comparar tu versión con ésta que ha escrito un español. Clasifica las palabras de este texto y del tuyo en las categorías que tienes debajo:

a. Como el jueves Sofía tenía un examen muy importante, se puso a estudiar en su habitación. Lo preparó todo muy bien y se puso a estudiar. Al principio estaba muy tranquila y se concentró rápidamente. Eran alrededor de las cuatro.

b. A las siete todavía seguía estudiando. Abría las carpetas y ponía mucha atención. Estaba sentada tranquilamente. Tenía una jarra y un vaso encima de la mesa, y de vez en cuando bebía agua. Había puesto los diccionarios en la mesa para consultar y aprovechó para fumarse el primer cigarrillo de la tarde. Estaba muy segura de sí misma..

c. Un poco después se levantó a prepararse un té para descansar y tomar energías. Aún creía que tenía tiempo suficiente para preparar el examen, pero empezó a ponerse un poquito nerviosa.

d. Estuvo intentando concentrarse hasta las ocho. Como no lo conseguía, empezó a hacerse esquemas con lo que había subrayado. Pero estaba hecha un lío y su mesa estaba cada vez más desordenada. Empezó a preocuparse un poco.

e. Un cuarto de hora más tarde su mesa estaba llena de papeles, de libros, de un montón de cosas. Seguía fumando desesperadamente. Tenía el pelo revuelto y las piernas encima del sillón. En ese momento se dio cuenta de que no comprendía nada.

f. A las ocho y media, de repente, se echó las manos a la cabeza y se puso a gritar como una loca mirando todo el desorden de su mesa. Decidió dejar de estudiar. ¡Qué horror! Más de cuatro horas para nada.

MARCADORES TEMPORALES:

- mi texto: ____________________

____

- texto del ejercicio: ____________________

____

PERÍFRASIS:

- mi texto: ____________________

____

- texto del ejercicio: ____________________

____

SUSTANTIVOS:

- mi texto: ____________________

____

- texto del ejercicio: ____________________

____

ADJETIVOS:

- mi texto: ____________________

____

- texto del ejercicio: ____________________

____

Érase una vez

Lee atentamente el texto y completa los verbos con la forma del pasado que sea necesaria.

María José y José María

María José y José María (ENTRAR) __________ allí para no estar en la calle soportando la lluvia que no cesaba. (Hacer) __________ mucho frío. (TENER) __________ las manos heladas, y las orejas y las narices coloradas. Una especie de humo (SUBIR) __________ por el aire y (MOVERSE) __________ despacio, cubriéndolo todo de una niebla triste. De vez en cuando alguien se levantaba, salía y no volvía a entrar. María José y José María (ESTAR) __________ muy juntos. (INTENTAR) __________ concentrarse y mirar fijamente, pero no lo conseguían. (SEGUIR) __________ así sentados durante mucho más tiempo. María José (SER) __________ rubia, (TENER) __________ la piel blanca y sus ojos azules (PARECER) __________ sufrir constantemente ante lo que estaban viendo. José María (PARECER) __________ mucho más tranquilo, y prestaba más atención. Su mirada de ojos negros era la de un hombre serio y sensato. Ella (EMPEZAR A) __________ recordar cómo había sido su vida hasta ese momento. Él se sentía bien y no necesitaba pensar en el pasado. Pero María José, cuando escuchó aquella melodía, (PONERSE A) __________ llorar. Una lágrima salió brillando y su nariz se movió con un sonido de niña pequeña. José María no (DARSE CUENTA) __________ . Cada vez (ESTAR) __________ más juntos. El resto de las personas de la sala no se movían. Seguramente también estaban emocionados por ver lo que estaba pasando. Todo el mundo (TENER) __________ los abrigos puestos. A María José todo le recordaba su infancia, cuando ella vivía en aquel pueblo en el que nevaba constantemente durante el invierno. Veía los campos blancos y los trenes antiguos que los atravesaban a temperaturas bajo cero. (SENTIR) __________ que aquello era muy parecido: la oscuridad, el frío, la noche. Entonces José María giró la cabeza y vio sus lágrimas. Le preguntó qué le pasaba, y María José se enfadó mucho. Sacó un papel del bolsillo y se lo metió en la boca. Después (IRSE) __________.

Para comprender bien el texto anterior aquí tienes algunas explicaciones sobre la situación. Pero, ojo, ahora lo tienes un poco más difícil porque tendrás que elegir el verbo tú, además de ponerlo en el tiempo apropiado.

María José y José María __________ hermanos, pero no __________ muy bien. Pero aquel día __________ al cine. Antes __________ a una óptica, porque María José __________ que recoger unas lentillas nuevas. Ella __________ un poco resfriada y no __________ estar en la calle. En el cine no __________ mucha gente, porque la sesión __________ a las cinco, y a esa hora no __________ mucha gente al cine. Todo el mundo __________ puestos los abrigos porque la calefacción no __________, y el frío __________ insoportable. Por eso algunas personas __________ del cine. María José y José María __________ darse calor el uno al otro poniéndose muy juntos. Ellos lloraban viendo la película porque __________ muy emocionados por aquellas imágenes. La película __________ *Doctor Zhivago*. La historia se desarrolla en Rusia, y ella __________ en una zona de Argentina muy parecida a la de las imágenes. Por eso María José __________ llorar. También porque cuando era pequeña José María la __________ "Gafitas cuatro ojos" y a ella no le __________ nada. A José María no le preocupaba porque __________ que su hermana __________ problemas con las lentillas cuando __________ al cine, y aquella tarde __________ tener problemas con sus ojos. __________ que no __________ ir al cine sin las gafas, pero su hermano le __________ antes de salir que __________ aún más fea con las gafas, y que si salía siempre con las gafas ningún chico la miraría. Así que María José __________ las lentillas nuevas, pero como la película __________ muy larga, al final __________ los ojos muy irritados. __________ tan enfadada que cogió la factura de la óptica y le __________ a José María: "Te vas a comer las lentillas. Yo me voy. Tú quédate aquí y sufre el frío que tienes en el corazón".

A ver si te acuerdas...

1. Aquel día .... toda la mañana .... porque me dolía muchísimo la cabeza.
a. estaba / acostando b. estoy / acostándome
c. estuve / acostado d. fui / cansado

2. Desde que se marchó, hace ahora un año, no .... noticias de ella.
a. volvía a tener b. he vuelto a tener
c. he estado recibiendo d. he volvido a recibir

3. En el tercer curso de la carrera dejó los estudios porque le había salido un buen trabajo. Al cabo de unos años........
a. siguió a estudiar b. volvió a estudiar
c. reestudió d. continuó en estudiar

4. El protagonista de la película .... Alberto y .... un poco antipático.
a. era / estaba b. se llamaba / fue
c. se llamó / era d. se llamaba / parecía

5. .... los platos, cuando de repente .... el microondas.
a. Estaba fregando / explotó
b. Se rompieron / se cayó
c. Fregaba / explotaba
d. Había fregado / sonaba

6. .... que decírselo aunque, la verdad, no .... si era mejor callarme.
a. Debí / sabía b. Tuve / sabía
c. Pensaba / supe d. Debía / supe

7. Todavía no .... cuando a lo lejos vimos las luces del barco que ....
a. ha amanecido / estaba llegando
b. amaneció / había llegado
c. había amanecido / llegaba
d. estaba amanecido / llega

8. Si decimos que **"los zapatos le entran como un guante"**, queremos decir que.........
a. le quedan apretados
b. le quedan grandes
c. le quedan bien
d. necesita un número más

9. .... contarle la verdad, pero al final .... pena y no le dijimos nada.
a. Estuvimos a punto de / nos dio b. Quiso / dio
c. Fuimos a / nos había dado d. Íbamos a / nos puso

10. ● Y usted, ¿qué hizo desde las 5 hasta las 10?
○ ¿Yo? Yo .... en mi casa hasta las nueve y, después, ... a dar una vuelta.
a. leyendo / saliendo b. estuve leyendo / salí
c. estaba leído / salí d. estuve leído / había salido

11. Ahora se puede hablar con ella, pero hace un rato .... francamente .... y no hacía ningún caso.
a. estuvo / enfadada b. estuvo / enfadándose
c. estaba / enfadada d. era / con enfado

12. .... coger el teléfono, pero en ese momento dejó de sonar.
a. Era a b. Tenía a
c. Iba a d. Estaba a

13. Cuando trabajábamos en aquella empresa nunca .... el sueldo.
a. nos estaban subiendo
b. vimos
c. nos han subido
d. nos subieron

14. No creo que Lola pueda venir. Me ha dicho que todavía no .... el trabajo que debe entregar mañana.
a. está terminando b. se había puesto
c. ha terminado d. terminaba

15. El Hada Madrina tocó entonces con su varita .... que se convirtió en ....
a. un pepino / un Jaguar
b. una calabaza / una carroza
c. una berenjena / una diligencia
d. una pera / un carro

16. Carmela ha cogido el teléfono y ya .... más de media hora.
a. lleva hablando b. deja de hablar
c. ha estado a punto de hablar d. habla por los codos

17. Cuando **dos personas se parecen mucho** decimos que se parecen.........
a. como uña y carne
b. como dos gotas de agua
c. como dos croquetas de pollo
d. como buenamente pueden

18. El año pasado, todos los días en cuanto .... de comer, ... a la Universidad.
a. terminaba / me iba b. he terminado / me he ido
c. terminé / me iba d. terminar / me fui

19. Cuando era pequeño, me gustaba que mi abuela me contara ....
a. bromas b. ovejas
c. cuentos d. cuentas

20. ¿Recuerdas de qué nacionalidad era Rubén Darío, el autor del poema de esta unidad?
a. uruguayo b. cubano
c. venezolano d. nicaragüense

Busque, compare, y si encuentra algo mejor...

¿Recuerdas qué significan estas expresiones? Explícalas muy brevemente e inventa un ejemplo pensando en una situación concreta.

1.- CORTARSE
Explicación: *Tener miedo o vergüenza de hacer algo.*
Ejemplo: *Me corto mucho cuando hay gente que no conozco.*
Situación: *En una fiesta.*

2. ANDARSE POR LAS RAMAS
Explicación: ____________________
Ejemplo: ____________________
Situación: ____________________

3. IR AL GRANO
Explicación: ____________________
Ejemplo: ____________________
Situación: ____________________

4. HACER UN BUEN / EL MEJOR PAPEL
Explicación: ____________________
Ejemplo: ____________________
Situación: ____________________

5. PONERSE COMO UNA MOTO
Explicación: ____________________
Ejemplo: ____________________
Situación: ____________________

6. DEJAR (A ALGUIEN) CON LA BOCA ABIERTA
Explicación: ____________________
Ejemplo: ____________________
Situación: ____________________

7. EN CUERPO Y ALMA
Explicación: ____________________
Ejemplo: ____________________
Situación: ____________________

8. ESTAR EN TUS (MIS / NUESTRAS...) MANOS
Explicación: ____________________
Ejemplo: ____________________
Situación: ____________________

9. PUNTO POR PUNTO
Explicación: ____________________
Ejemplo: ____________________
Situación: ____________________

10. POR SI LAS MOSCAS
Explicación: ____________________
Ejemplo: ____________________
Situación: ____________________

11. ECHAR UNA CANA AL AIRE
Explicación: ____________________
Ejemplo: ____________________
Situación: ____________________

¿Cómo sigue la frase? Une números y letras.

1. No hace falta beber tanto para
2. Quizá llueva. Llévate el paraguas
3. He vivido todos estos años dedicado a ella
4. Me pidió que no le diera tantas explicaciones
5. No se lo creían. Les dije que me casaba
6. No sé cómo no me ayudó.
7. No te cortes,
8. Si me dejaras,
9. No me lo quería decir. Estuvo todo el tiempo
10. Mi abuelo decía que de vez en cuando
11. Me preocupa un poco

a. en cuerpo y alma.
b. Estaba en sus manos hacerlo.
c. ponerse como una moto.
d. dile de una vez que te gusta y ya está.
e. por si las moscas.
f. no estaba mal echar una cana al aire.
g. y los dejé con la boca abierta.
h. y que fuera al grano.
i. te lo explicaría todo punto por punto.
j. andándose por las ramas.
k. no hacer un buen papel.

Imagina un diálogo entre un jefe y su empleado en el que aparezcan al menos cuatro de las siguientes expresiones:

punto por punto	estar en sus manos
ir al grano	hacer un buen papel
andarse por las ramas	en cuerpo y alma

¿Qué piensas que se puede anunciar con estas fotos? Decide tú el producto y piensa en un eslogan para cada uno.

Producto: __________________________

Eslogan: __________________________

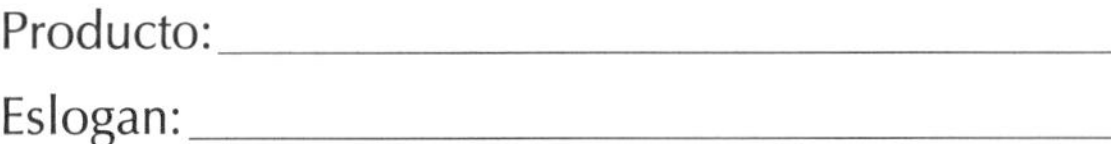

Producto: __________________________

Eslogan: __________________________

Producto: __________________________

Eslogan: __________________________

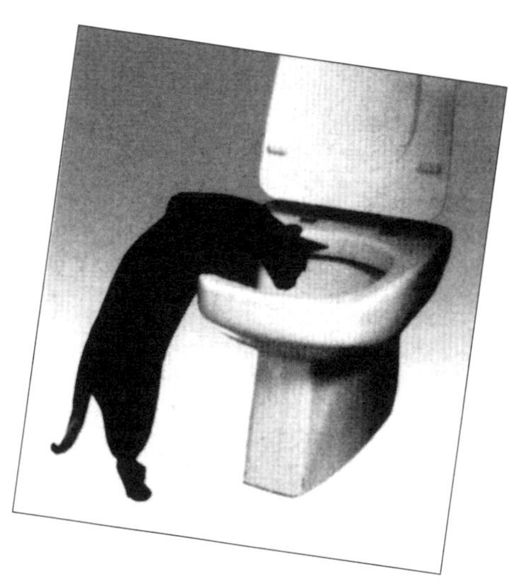

Producto: __________________________

Eslogan: __________________________

Busque, compare, y si encuentra algo mejor...

Asocia los siguientes productos con sus eslóganes.

un coche
unas lentillas
una agencia de viajes
un vídeo
un banco
gel colorante para el pelo
papel higiénico
una clínica de adelgazamiento
una marca de zapatos
una marca de azúcar
una marca de cigarrillos

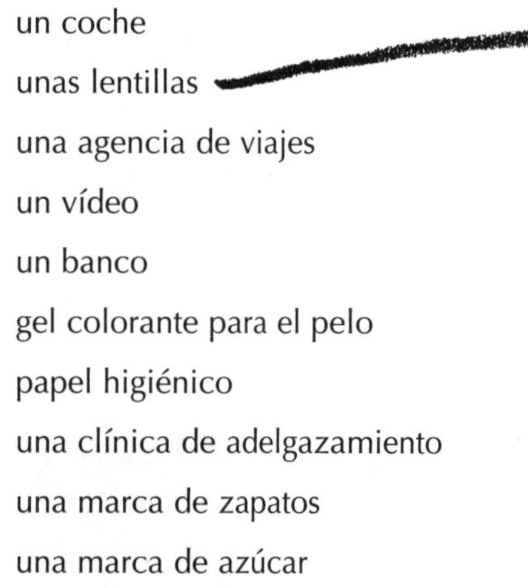

¡Verás lo que es bueno!
Suave caricia
¿Seguro que es el tuyo?
Trabajamos por el más alto interés.
Escalera de color
Llévatelos puestos.
Por una vida más dulce
El color del sonido
Ponte guapo.
Un rubio americano en tu bolsillo
Contigo al fin del mundo

Ahora que ya eres un experto en publicidad, decide qué texto y qué imagen utilizarías para promocionar dos de los siguientes productos. Elige uno de cada grupo y diseña dos anuncios pensando en el público al que quieres dirigirte.

A Producto 1
(elige uno de los siguientes):

una agencia de detectives
una escuela de idiomas
un restaurante
una residencia geriátrica
una tienda de ropa de tallas especiales

B Producto 2
(elige uno de los siguientes):

un maquillaje para hombres
unas gafas especiales
una cama de agua
una marca de aire acondicionado
un producto para cuidar las plantas

Recuerda que la técnica de persuasión es lo primero que tienes que decidir.

Para explicar cómo serían tus anuncios puedes seguir el siguiente esquema:

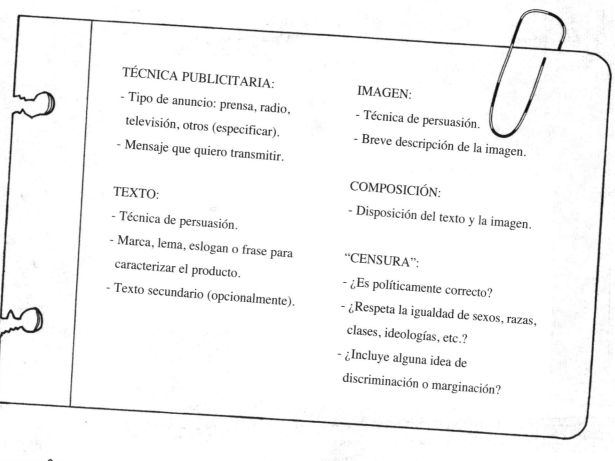

TÉCNICA PUBLICITARIA:
- Tipo de anuncio: prensa, radio, televisión, otros (especificar).
- Mensaje que quiero transmitir.

TEXTO:
- Técnica de persuasión.
- Marca, lema, eslogan o frase para caracterizar el producto.
- Texto secundario (opcionalmente).

IMAGEN:
- Técnica de persuasión.
- Breve descripción de la imagen.

COMPOSICIÓN:
- Disposición del texto y la imagen.

"CENSURA":
- ¿Es políticamente correcto?
- ¿Respeta la igualdad de sexos, razas, clases, ideologías, etc.?
- ¿Incluye alguna idea de discriminación o marginación?

A este texto de un anuncio de televisión le faltan los pronombres. ¿Podrías completarlo tú?

VENDEDOR - Estamos en casa de la señora Pérez. Buenos días, ¿desde cuándo usa usted este detergente?
SRA. PÉREZ - Ya casi ni ____ acuerdo. Empecé a usar ____ hace mucho... Desde que ____ casé.
VENDEDOR - ¿Y está usted contenta con cómo ____ deja la ropa?
SRA. PÉREZ - Sí, bastante contenta.
VENDEDOR - Bueno, pues yo ____ cambio su detergente habitual por este nuevo producto.
SRA. PÉREZ - ¡Ni hablar! El mío no ____ cambio por nada.
VENDEDOR - ¿Y si ____ regalamos además este suavizante? Pruebe ____ y ya ____ dirá los resultados.

Una semana después:

VENDEDOR - Y bien, ¿qué ____ ha parecido el nuevo «Blancor»?
SRA. PÉREZ - Fantástico. Mi marido es mecánico. ¡Traía una ropa...! ¡Qué ropa traía! Y mi antiguo detergente no quitaba bien las manchas de grasa. Ahora, sin frotar, ____ deja perfecta.
VENDEDOR - ¿No ____ ____ decía yo?
SRA. PÉREZ - Sí. Gracias a «Blancor», las manchas no ____ quitan el sueño.
VENDEDOR - Ya ____ han oído, amigos y amigas. Lleven ____ a casa. Notarán la diferencia. ¡Ah!, y ahora «Blancor» regala un viaje para dos personas a Cuba. Si ____ envía dos etiquetas al apartado de correos 9102 de Madrid antes del 15 de marzo.

Sustituye las palabras subrayadas por los pronombres adecuados para que sean frases más apropiadas.

1. Normalmente yo acuesto al niño. Mejor dicho, siempre acuesto yo al niño. Acuesta al niño tú hoy.

2. • ¿Has mandado invitaciones a tus amigos?
   ○ La verdad es que todavía no he mandado las invitaciones a mis amigos.
   • Pues deberías mandar las invitaciones a tus amigos antes de que sea más tarde.

3. • Es lógico que te haya mordido. Has pisado el rabo al perro.
   ○ No, ¡qué va!, no he pisado el rabo al perro. Sólo he pasado muy cerca del perro pero sin tocar el rabo al perro.

4. • ¿Has visto a tu abuela esta semana?
   ○ No, no he visto a mi abuela. Pero escribiré una carta a mi abuela para felicitar a mi abuela por su cumpleaños.
   • Cuando escribas la carta a tu abuela, da a tu abuela recuerdos de mi parte.
   ○ Vale, daré recuerdos a mi abuela.

5. • ¿Vas a coger el autobús? Cogiendo el autobús llegarás antes al trabajo.
   ○ ¿Estás seguro? Siempre que cojo el autobús me pilla un atasco.

Esta pareja también habla de forma muy rara, ¿verdad? Transforma tú el diálogo usando pronombres, siempre que sea posible, y eliminando lo que creas que sobra para que sea más natural.

• Oye, ¿le has comprado las gafas de sol a tu hermano?
○ ¡Vaya!, se me ha olvidado. Tendré que ir esta tarde a comprar las gafas de sol a mi hermano, pero creo que no va a ser fácil encontrar las gafas de sol que tanto le gustan a mi hermano.
• Yo también creo que no va a ser fácil. Vio las gafas en una revista de diseño, ¿verdad?
○ Sí, y, además, él debería probarse las gafas... ¿Y si llamo a mi hermano y digo a mi hermano que venga conmigo y pido a mi hermano que se traiga la moto? ¡Tengo tantas ganas de probar la moto...!
• Pues llama a tu hermano. Pero no te hagas ilusiones. No creo que te deje llevar la moto.
○ ¿Y por qué no va a dejarme la moto?
• Pues porque piensa que no conduces bien. Siempre dice que las mujeres no sabéis conducir y, además...
○ Y además, ¿qué? Tú también crees que las mujeres no sabemos conducir, ¿no? ¡Machistas...!
• Bueno, no empecemos... Tengo que irme. Si vas a llamar a tu hermano, dile que nos vemos en el bar de la esquina.
○ Vale, le diré que nos vemos en el bar de la esquina.

¿Recuerdas la diferencia entre **quedar** y **quedarse**? Hay bastantes verbos en español que cambian de significado cuando se construyen con **se**. ¿A cuál de los dos significados corresponde la forma con **se**? Usa el diccionario si lo necesitas y fíjate en las preposiciones que exigen las formas con pronombres.

a. Acordar una cita. Sobrar. b. Permanecer en un lugar.	QUEDAR / QUEDARSE en
a. Recordar. b. Llegar a un acuerdo.	ACORDAR / ACORDARSE de
a. Decir adiós. b. Echar del trabajo.	DESPEDIR / DESPEDIRSE de
a. Llenar un espacio o un lugar. b. Encargarse de un asunto, asumir la responsabilidad.	OCUPAR / OCUPARSE de
a. Suceder, tener lugar. b. Venir al pensamiento una idea.	OCURRIR / OCURRIRSE
a. Confiar en una persona. b. Vender sin cobrar hasta más adelante.	FIAR / FIARSE de
a. Burlarse. b. Manifestar alegría.	REÍR / REÍRSE de

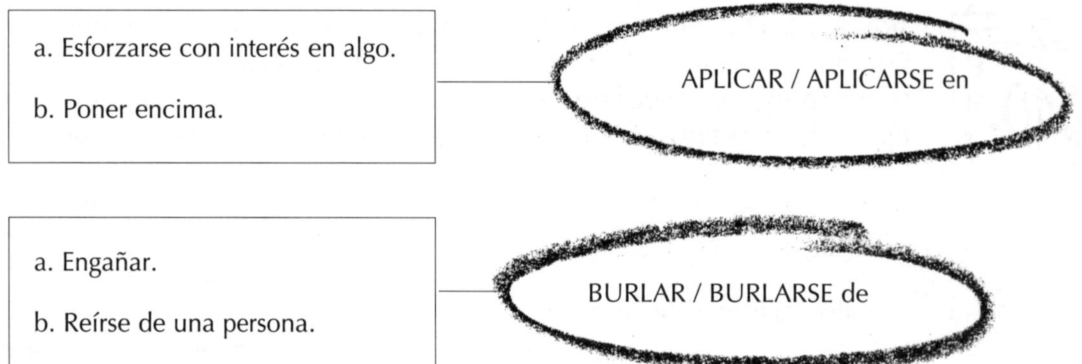

a. Esforzarse con interés en algo.
b. Poner encima.
APLICAR / APLICARSE en
a. Engañar.
b. Reírse de una persona.
BURLAR / BURLARSE de

En otros casos el cambio de significado es más sutil. Fíjate:

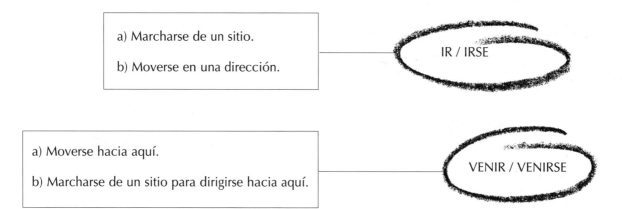

a) Marcharse de un sitio.

b) Moverse en una dirección.

IR / IRSE

a) Moverse hacia aquí.

b) Marcharse de un sitio para dirigirse hacia aquí.

VENIR / VENIRSE

En esta sopa de letras se pueden leer doce verbos pronominales (con **se**). De ellos, hay cuatro que nunca pueden aparecer sin **se**. ¿Cuáles son estos cuatro verbos?

A	R	R	E	P	E	N	T	I	R	S	E
T	V	Q	U	I	T	A	E	H	M	U	L
R	E	I	R	S	E	S	R	E	D	I	D
E	L	F	E	S	R	A	D	R	O	C	A
V	P	B	I	I	A	L	O	M	R	I	A
E	N	J	N	A	R	L	H	O	M	D	L
R	C	E	R	A	R	S	I	D	I	A	I
S	V	E	R	S	E	S	E	R	R	R	D
E	K	C	A	E	R	S	E	S	S	S	A
S	Q	U	E	J	A	R	S	E	E	E	D

Busque, compare, y si encuentra algo mejor...

A ver si te acuerdas...

1. ¿Qué podemos decirle en una fiesta a una persona tímida que no habla?
a. No te andes por las ramas. b. No te cortes.
c. No por mucho madrugar... d. En cuerpo y alma.

2. Si una noche de verano piensas llegar tarde a casa y quizás haga frío, coges la chaqueta.........
a. por si las moscas
b. para ir al grano
c. para ponerte como una moto
d. porque ancha es Castilla

3. Quiero saberlo todo con más detalle, tendrás que explicármelo.........
a. en cuerpo y alma b. punto por punto
c. por si las moscas d. como una moto

4. **Hacer un buen papel** es.........
a. dar una sorpresa a alguien
b. dedicarse a algo enteramente
c. quedar bien delante de la gente
d. explicar algo muy bien, paso a paso y detalladamente

5. **Está en tus manos** se dice a alguien cuando.........
a. esa persona tiene la obligación de hacer algo
b. debe solucionar algo con las manos
c. depende de esa persona la solución de un problema
d. se le pide algo prestado

6. ¿Cómo se llama lo que ponen en televisión en medio de las películas, y que molesta bastante cuando la película está interesante?
a. publicitarios b. avisos
c. anuncios d. advertimentos

7. ¿Cuál de estas formas te parece correcta para el Imperativo de la persona **vosotros**?
a. daros b. daos
c. davos d. deos

8. Si le dices a alguien **pónselo**, le estás diciendo.........
a. que se ponga él mismo su sombrero
b. que se ponga el sombrero de otro
c. que ponga el sombrero en la cabeza de otra persona
d. que lo ponga en algún lugar

9. Si alguien tiene las manos sucias antes de comer, ¿qué le dices?
a. Lava tus manos. b. Lava las manos.
c. Lávate las manos. d. Lávalas las manos.

10. ¿A cuál de estas situaciones asocias la frase **La pegué porque le había dado un golpe**?
a. Pegar a una chica por haber golpeado a alguien.
b. Pegar la lámpara por haberla golpeado alguien.
c. Pegar a la perra por haber roto la lámpara.
d. Pegar un trozo roto a la lámpara utilizada para golpear a alguien.

11. ¿Cuál de las formas siguientes es la correcta?
a. Estoy me bañando. b. Me estoy bañando.
c. Estoy bañando me. d. Estoyme bañando.

12. ¿Cómo dirías **no le toques el rabo al perro**, usando un pronombre en lugar de la palabra **perro**?
a. No lo toques el rabo. b. No se toques el rabo.
c. No le toques el rabo. d. No tóquesle el rabo.

13. ¿Qué pronombres utilizarías para sustituir lo subrayado: **He pedido <u>los discos</u> <u>a tus vecinos</u>**?
a. Se les he pedido. b. Los les he pedido.
c. Se los he pedido. d. Le los he pedido.

14. ¿Cómo le pides a alguien que te pase el agua que está en la mesa si tú no alcanzas?
a. ¿Me lo pasas? b. ¿Me le pasas?
c. ¿Me la pasas? d. Pásamelo por favor.

15. ¿Qué significa **quedar**?
a. Llevarse bien con alguien. b. Poner en un lugar.
c. Permanecer en un lugar. d. Acordar una cita.

16. ¿Y **fiarse**?
a. Vender sin cobrar hasta más adelante.
b. Comprar sin pagar hasta más adelante.
c. Confiar en alguien.
d. Contar un secreto a alguien.

17. ¿Cuál de los siguientes verbos puede aparecer sin se?
a. arrepentirse b. suicidarse
c. quejarse d. llamarse

18. ¿Qué significa **tocar el gordo**?
a. Desear suerte levantando el pulgar de la mano izquierda.
b. Invertir mucho dinero en la bolsa.
c. Pasarte una cosa peligrosa.
d. Ganar el primer premio en la lotería nacional.

19. ¿Quién era Pedro Salinas?
a. un famoso publicista
b. un piloto de la Guerra Civil
c. un poeta de la Generación del 27
d. un poeta de la Generación del 98

20. Y además.........
a. tuvo que exiliarse por diferencias ideológicas con la dictadura de Franco, y no volvió hasta que éste murió
b. vivió en el exilio hasta su muerte en Puerto Rico
c. nació en Puerto Rico y tuvo que exiliarse a España
d. pasó toda su vida en Puerto Rico, aunque nació en España

Vivir del cuento

"Pero después de todo, no sabemos si las cosas no son mejor así, escasas a propósito... Quizá, quizá tienen razón los días laborables."

Si quieres saber cómo continúa este poema sólo tienes que resolver este damero. Para ello, escribe la forma correcta de la TERCERA PERSONA (singular o plural) de los verbos que tienes en la columna de la izquierda, y traslada las letras a las casillas que tienen el mismo número. Obtendrás, además, el título del poema y el nombre de su autor leyendo verticalmente las primeras letras de las formas verbales.

1	2	■	3	■	4	5	■	6	7	■	8	9	10	11	■	L	12	13	14
15,	■	16	N	■	17	S	18	19	■	20	21	22	23	■	24	25	■	26	27
28	■	29	30	31	32	A	33,	■	34	35	T	36	37	■	38	39	■	O	40
41	42	43	44	45	■	46	■	47	A	■	N	48	49	50	51	■	52	53	54
55	56	57	58	59,	■	60	61	■	62	63	64	65	66	O	67.	■	68	■	Q
69	70	Z	71,	■	72	73	74	75	76	77	78	79	80	T	81,	■	82	S	T
83	84	85	86	■	F	87	88	89	90	91	92	93	S						

A. LEER. Indefinido. Singular............ 26 8 46 85

B. UNIR. Imperfecto de Subjuntivo. Singular............ 2 35 73 65 15 83

C. NACER. Presente de Subjuntivo. Singular............ 32 23 28 49 87

D. EMPEZAR. Presente de Subjuntivo. Plural............ 79 74 30 70 57 42 16 22

E. SACAR. Presente de Subjuntivo. Singular............ 62 29 52 69 59

F. GEMIR. Presente de Subjuntivo. Plural............ 90 89 78 14 80

G. INTUIR. Presente de Subjuntivo. Singular............ 41 60 10 12 3 91

H. LEER. Imperfecto de Subjuntivo. Singular............ 47 34 4 82 36 19

I. DAR. Presente de Subjuntivo. Plural............ 92 51 44

J. EMPEZAR. Indefinido. Singular............ 37 66 75 6 20 61

K. BOTAR. Imperfecto de Subjuntivo. Singular............ 64 5 1 63 72 25

L. INFLAR. Imperfecto de Subjuntivo. Singular............ 56 58 40 76 39 86 11

M. ESTAR. Indefinido. Singular............ 17 9 18 27 55 68

N. DESATAR. Indefinido. Singular............ 24 77 67 45 88 48

Ñ. MOLER. Imperfecto de Subjuntivo. Singular............ 84 21 38 43 81 33 54

O. AHOGAR. Presente de Subjuntivo. Plural............ 71 50 93 13 53 31 7

Francisco Recuerda, una persona con problemas de amnesia (la verdad es que tiene un lío tremendo en la cabeza) cuenta la historia de la Cenicienta con algún que otro lapso de memoria. Lee su relato, identifica los errores y corrige al menos diez.

Hace ya mucho tiempo que mi abuelita me contaba cuentos, pero el de La Cenicienta lo recuerdo perfectamente: era una muchachita muy buena y muy guapa, que tenía el problema de que su padre había muerto y su madre se había casado con un hombre muy malo. Un día, el presidente de la asociación de vecinos dio una fiesta, y Cenicienta no quería ir, pero las hermanastras la convencieron y estuvieron todo el día ayudándola a vestirse, a peinarse, para que estuviera guapa. Pero resulta que Cenicienta no tenía medio de transporte. Entonces apareció un Hada Madrina y le dijo que fuera a la tienda a por una calabaza, y Cenicienta fue y le llevó la calabaza, y el Hada, pronunciando las palabras mágicas "aquí te pillo, aquí te mato", convirtió la sencilla calabaza en un magnífico Ferrari con aire acondicionado. Pero el Hada le dijo que tenía que estar de vuelta antes de las siete menos cuarto, porque si no tendría que volver a casa montada en la calabaza. Cenicienta no prometió nada y se fue para la fiesta loca de contenta. En cuanto llegó, se puso a bailar con el primer camarero que encontró y se pasó toda la tarde con él hasta que llegó la hora, y se tuvo que ir corriendo. Pero corrió tanto que perdió una de sus maravillosas zapatillas de deporte. Y fue entonces cuando el príncipe, que pasaba por allí, cogió la zapatilla y se fue de casa en casa preguntando de quién era para devolvérsela. Total, que al final encontró a Cenicienta, se casaron y fueron felices para siempre.

CORRECCIONES:

1.__________________

2.__________________

3.__________________

4.__________________

5.__________________

6.__________________

7.__________________

8.__________________

9.__________________

10.__________________

En agosto de 1987, un martes y trece, el Transatlántico "Gracia del Mar" naufragó frente a las costas venezolanas. Lee con atención estos comentarios de los supervivientes y completa las oraciones con el verbo en su forma adecuada.

a. ➪ Primero (nosotros, OÍR)________ un ruido horrible, y después todo el barco (LLENARSE)________ de agua.
➪ Antes de que el barco ________ de agua, ________ un ruido horrible.

b. ➪ (Yo, SUBIR)________ a hablar con el capitán y luego (nosotros, LLAMAR)________ por radio.
➪ Después de que ________ a hablar con el capitán, ________ por radio.

c. ➪ Al final (LLEGAR)________ el helicóptero, y entonces (nosotros, PODER)________ saltar a las barcas.
➪ Hasta que no________ el helicóptero no________ saltar a las barcas.

d. ➪ (Nosotros, TENER)_______ que esperar siete horas en las barcas. Al final nos (ellos, RESCATAR)_______.
➪ _______ que esperar siete horas en las barcas hasta que nos _______.

e. ➪ Cuando (nosotros, BAJAR)_______ de las barcas, nos (ellos, HACER)_______ una entrevista.
➪ En el puerto, después de_______ de las barcas, nos _______ una entrevista.

f. ➪ Mucha gente (SALTAR)_______ al agua directamente. Pero las barcas salvavidas todavía no (ESTAR)_______ preparadas.
➪ Muchos pasajeros _______ al agua antes de que _______ las barcas salvavidas.

g. ➪ El capitán primero (ACABAR) _______ su cigarro y después (LLAMAR)_______ por radio para pedir ayuda.
➪ Después de_______ su cigarrillo, el capitán_______ por radio para pedir ayuda.

h. ➪ Mientras todo el mundo (CENAR)_______ tranquilamente, (OÍRSE)_______ una gran explosión.
➪ Todo el mundo_______ tranquilamente, hasta que_______ una tremenda explosión.

4. Escribe un comentario en pasado de las siguientes frases, pronunciadas por algunos pasajeros justo en el terrible momento del naufragio, fijándote especialmente en los marcadores temporales.

1. Evidentememte, hoy no es nuestro día.

Aquel no era su día.

2. • ¡Qué pena! ¡**Esta noche** era el baile!

____

3. • Pues **anoche** yo tuve que sacar un cubo de agua del dormitorio. Ahora lo entiendo.

____

4. • **Anteayer**, precisamente, me dijo el médico que no me metiera en el agua con este reúma.

____

5. • Ya decía yo que **últimamente** se movía mucho el barco.

____

6. • Pues mi horóscopo, que es Acuario, **ayer** me decía que tuviera cuidado con el agua.

____

7. • ¡Qué lástima! **Dentro de un mes** iba a empezar un curso de natación.

____

Aquí tienes algunos datos más sobre el accidente del Transatlántico "Gracia del Mar". Explícalos usando las siguientes expresiones: **durar** / **tardar (en)** / **llevar** + cantidad de tiempo / **hacer** + cantidad de tiempo + **que**.

1. Las explosiones empezaron a las diez y cinco de la noche, y continuaron hasta las diez y veinte, aproximadamente.

2. El capitán empezó a pedir ayuda a las diez y diez, y consiguió conectar con el puerto a las diez y veinte.

3. El barco no había tenido ningún accidente desde 1978.

4. La cena empezó a las nueve y acabó a las diez y cinco, en el momento de la explosión.

5. La policía costera tuvo noticia del accidente a las diez y veinte, y llegaron a las once y veinte.

6. El barco con los supervivientes salió a las once y media, y llegó al puerto a las cuatro.

7. El último naufragio en el Caribe había sido en 1970.

Relatos de un náufrago

Una de las muchas experiencias de la vida de Francisco Recuerda es la de aquel naufragio en 1987. Aquí tienes parte del diario que escribió en una balsa. El problema es que no se pueden leer todas las palabras, pues con el agua del mar y el sol, se borraron. Intenta reconstruirlo con las siguientes palabras y expresiones:

hace
llevo
en cuanto
llevo
desde que
de repente
hace ... que
desde que
de pronto
de repente

Agosto de 1987. No sé exactamente qué día es hoy. ________ caí al mar creo que ________ cuatro días y cuatro noches en esta balsa, soportando el insoportable sol del Caribe. Sólo recuerdo los momentos finales de la tormenta y los gritos de mis compañeros. Yo estaba hablando con el capitán, y ________ escuchamos la explosión, salimos para ver qué pasaba. Todo el mundo gritaba y el agua subía y subía. ________ una gran ola voló sobre mi cabeza y caí al mar. Nadé como un desesperado, recé y ________ , como un milagro, apareció ante mí esta balsa en la que ahora estoy sentado. Poco recuerdo más.

No tengo agua ni comida, y los tiburones me observan con crueldad. El mar es inmenso y mi soledad también. Me llamo Francisco Recuerda y quiero vivir para seguir recordando. ________ unas horas vi una gaviota volando cerca de la balsa. Tengo la boca seca, ________ mucho tiempo sin probar una gota de agua. ________ cuatro días ________ estoy aquí sentado, con la mirada fija en el horizonte. ________ estoy en estas circunstancias lo único que sé es que quiero vivir para contarlo.

Vivir del cuento

A continuación puedes ver algunas imágenes desordenadas que resumen lo que le pasó a Francisco Recuerda después de su cuarto día en el mar. Ordénalas e intenta contar en pasado aquella fantástica aventura explicando todos los detalles de los dibujos.

María Eugenia fue una de las supervivientes del naufragio del "Gracia del Mar". Es una mujer soltera que ha trabajado toda su vida de secretaria en un banco. Se sentía bastante sola y deprimida. Pero después del accidente del barco tiene muchas ganas de vivir y ha decidido cambiar de vida. Aquí tienes los anuncios del periódico que resumen sus actividades de hoy. Analiza los textos e imagina qué ha podido hacer durante el día. Toma nota de la información relevante para después continuar escribiendo el diario que empezó aquella misma noche.

POR LA MAÑANA:

Perfumería y cosmética francesa. Alta bisutería: **SE NECESITAN** distribuidoras. Elevados ingresos. Interesadas llamar al 958 82 11 34 de 9 a 14 horas.

SE VENDEN perros, no raza, pequeños, negros, pelo corto. Cien euros por cachorro. Interesados llamar al 91 34 76 34.

ISIS. Futuróloga. Astróloga. Baraja española. Trabajos de magia negra y blanca. 91 923 54 19

PARAPSICÓLOGA caribeña. 24 horas. 91 247 25 48

NOTAS:

AL MEDIODÍA:

Pachín. Restaurante vietnamita. Reservas en el 91 221 13 34.

NOTAS:

POR LA TARDE:

AGENCIAS MATRIMONIALES

Agencia matrimonial "Vilosa". Serrano 43. Máxima discreción. 91 / 437 56 48. Centro de relaciones interpersonales. Somos profesionales altamente especializados. Quince años de experiencia. Encontramos su pareja idónea. Consúltenos sin compromiso. C/ Poeta Manuel de Góngora, 34-3° - 91 814 42 34.

Soltero, estatura alta, delgado, alemán, empresario, busca joven acompañante independiente y deportiva para sus vacaciones por Andalucía. Apartamento propio en Almería, primera línea. Ruego carta con fotografía. Interesadas dirigirse al código postal 0805465 o llamar directamente al 91 294 75 65.

NOTAS:

ANTES DE LLEGAR A CASA:

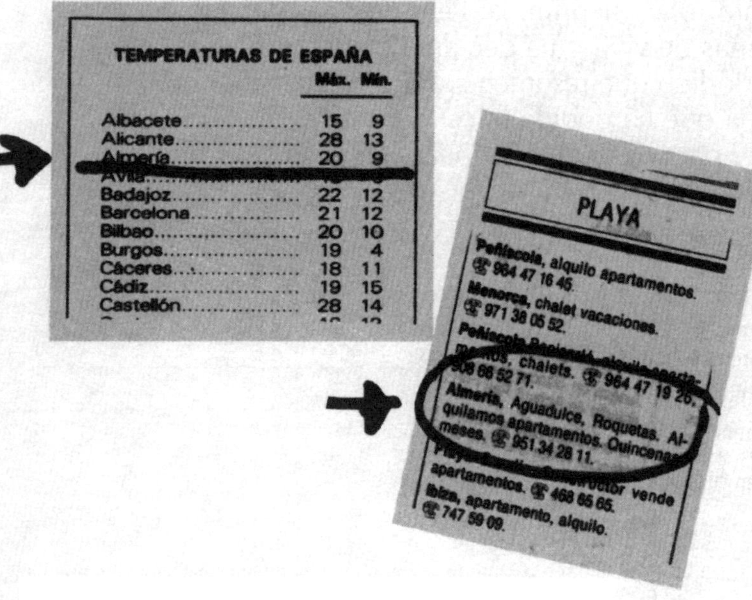

TEMPERATURAS DE ESPAÑA

	Máx.	Mín.
Albacete	15	9
Alicante	28	13
Almería	20	9
Avila	[illegible]	[illegible]
Badajoz	22	12
Barcelona	21	12
Bilbao	20	10
Burgos	19	4
Cáceres	18	11
Cádiz	19	15
Castellón	28	14

PLAYA

Peñíscola, alquilo apartamentos. ☎ 964 47 16 45.
Menorca, chalet vacaciones. ☎ 971 38 05 52.
Peñíscola [illegible] alquilo apartamentos, chalets. ☎ 964 47 19 26, 908 66 52 71.
Almería, Aguadulce, Roquetas. Alquilamos apartamentos. Quincenas, meses. ☎ 951 34 28 11.
Playa [illegible] constructor vende apartamentos. ☎ 468 65 65.
Ibiza, apartamento, alquilo. ☎ 747 59 09.

TRENES. RENFE. Teléfonos 271272 - 227170

TREN Y RECORRIDO	SALIDAS DE GRANADA
Regional Linares-Baeza	18.20
Regional a Sevilla	8.30-12.40-17.06
Regional a Algeciras	12.45
Regional a Almería	8.05-13.15-18.50
Talgo [illegible] Puerta Atocha (Domin. a vier.)	15.05
» (Sábado)	8.30
Expreso Sierra Nevada-Madrid (Chamartín)	23.15
Rápido García Lorca-Barcelona	8.50

NOTAS:

POR LA NOCHE, FRENTE AL TELEVISOR:

CUMBRES BORRASCOSAS / La 2. 23:30

La célebre novela de Emily Bronte ha sido llevada al cine en varias ocasiones, pero la versión de Wyler ha sido la que mayor aceptación ha tenido de todas ellas. La película consiguió el Óscar correspondiente a la mejor fotografía en blanco y negro. Fue además nominada al Óscar a la mejor película, director, actor, actriz secundaria, guión, decoración y música orginal. Es la historia de una rica y bella heredera que siente un apasionado amor por su humilde mozo de cuadras. Esta relación permanece inalterable hasta que aparece un joven de su misma condición social que hace que ella olvide progresivamente al mozo de cuadras. 1939. 99´. Director: William Wyler. Intérpretes: Laurence Oliver, Merle Oberon, David Niven. Norteamericana. Blanco y negro.

NOTAS:

Querido diario:

Vivir del cuento

A ver si te acuerdas...

1. Cenicienta no fue aquella noche a una discoteca, ... al palacio del rey.
a. pero b. sino
c. sin embargo d. ni

2. .... muchos años .... desaparecieron los dinosaurios de la tierra.
a. Hace / desde b. Desde / hace
c. Desde que / hace d. Hace / que

3. • ¿Cómo está Juan?
○ Pues .... se casó no es el mismo, está un poco raro.
a. desde que b. desde
c. hace d. hace que

4. ¿Cómo empiezan los cuentos infantiles en español?
a. Fue una vez....
b. Érase una vez...
c. Una vez tiempo ha...
d. Se le ocurrió una vez...

5. En España .... se habla español, ... tres lenguas más.
a. no /sino
b. ni / sólo
c. no sólo / sino también
d. ni sólo / más también

6. (Una madre hablando con su hijo que está comiendo).
• ¿Has acabado .... ?
○ No, ... no.
a. ya / todavía
b. todavía / ya
c. ya / ya
d. todavía / todavía

7. (Un padre hablando con su hija que está comiendo).
• ¿No has acabado .... ?
○ No, ... no.
a. ahora / todavía b. todavía / ya
c. ya / ya d. todavía / todavía

8. • ¿Desde cuándo trabajas aquí?
○ Pues .... tres meses.
a. vengo b. llevo
c. duro d. tardo

9. • ¿Cuándo tienes que dejar tu casa?
○ .... : el martes o el miércoles que viene. Vuelven los dueños.
a. Dentro de una semana
b. Para una semana
c. Desde hace una semana
d. Una semana

10. .... se descubrió la penicilina, muchas enfermedades eran incurables.
a. Hasta que no b. Hasta de
c. Hasta cuando d. Tan pronto como

11. Antes de que .... los musulmanes a la Península, ya la habían colonizado muchas culturas.
a. venir b. venían
c. vinieron d. vinieran

12. Por cierto ¿en qué año entraron los musulmanes en la Península Ibérica?
a. en el 643 b. en el 546
c. en el 711 d. en 1492

13. Y, ¿cuánto tiempo se quedaron?
a. un par de meses b. setenta años
c. dos siglos d. ocho siglos

14. • ¿Cuánto .... el tren de Madrid a Irún?
○ Unas ocho horas, depende.
a. tarda b. llega
c. dura d. lleva

15. • ¿Cuánto .... un partido de fútbol?
○ Noventa minutos.
a. tarda b. llega
c. dura d. es

16. • ¿Qué te ha pasado en el ojo?
○ Pues nada, que iba por la calle y .... me entró un mosquito.
a. apenas b. en cuanto
c. de repente d. de momento

17. ¿Cómo se llamaba el último rey musulmán del reino de Granada?
a. Boadbil b. Zapata
c. Butalbid d. Tahur el Zurdo

18. Después de .... traicionado, Zapata fue asesinado.
a. siendo b. sido
c. ser d. fuera

19. • ¿Cuándo quieres que haga la cena?
○ .... mejor, porque tengo mucha prisa.
a. Lo antes b. Antes
c. Cuanto antes d. Desde antes

20. Y para acabar, cuando termina un cuento, en español solemos decir ....
a. fueron capaces y comieron rapaces
b. fueron felices y comieron perdices
c. fueron casados y comieron pescados
d. fueron viejos y comieron cangrejos

Cosas de casa

Asocia estos objetos con sus usos.

grifo	Se pueden apretar y aflojar tornillos con él.
cable	Te cubres el cuerpo con ella cuando duermes y hace frío.
manta	Pasa electricidad a través de él.
percha	Sin él no puedes hacer funcionar un electrodoméstico.
cajón	Se puede llevar la comida a la mesa en ella.
encendedor	En él se ponen flores.
destornillador	Sale agua de él.
bandeja	Se pueden dejar mensajes en él.
pasillo	En ella cuelgas la ropa.
jarrón	Dentro de él se pueden guardar cosas.
almohada	Enciendes cigarrillos con él.
contestador	Puedes apoyar la cabeza sobre ella.
trapo	Para llegar a otras habitaciones tienes que pasar por él.
enchufe	Se limpia el polvo de los muebles con él.

Intenta definirlos ahora utilizando la estructura que ya conoces:
Un/a ... es algo / un objeto / un aparato / una cosa / un lugar + preposición + artículo + **que** ...

Un contestador es un aparato en el que se pueden dejar mensajes.

Un grifo es ____________________

Un cable es ____________________

Una manta es ____________________

Una percha es ____________________

Un cajón es ____________________

Un encendedor es ____________________

Un destornillador es ____________________

Una bandeja es ____________________

Un pasillo es ____________________

Un jarrón es ____________________

Una almohada es ____________________

Un contestador es ____________________

Un trapo es ____________________

Un enchufe es ____________________

2. Usando los siguientes verbos y con la ayuda de tu diccionario, si es necesario, trata de describir los objetos que aparecen a continuación.

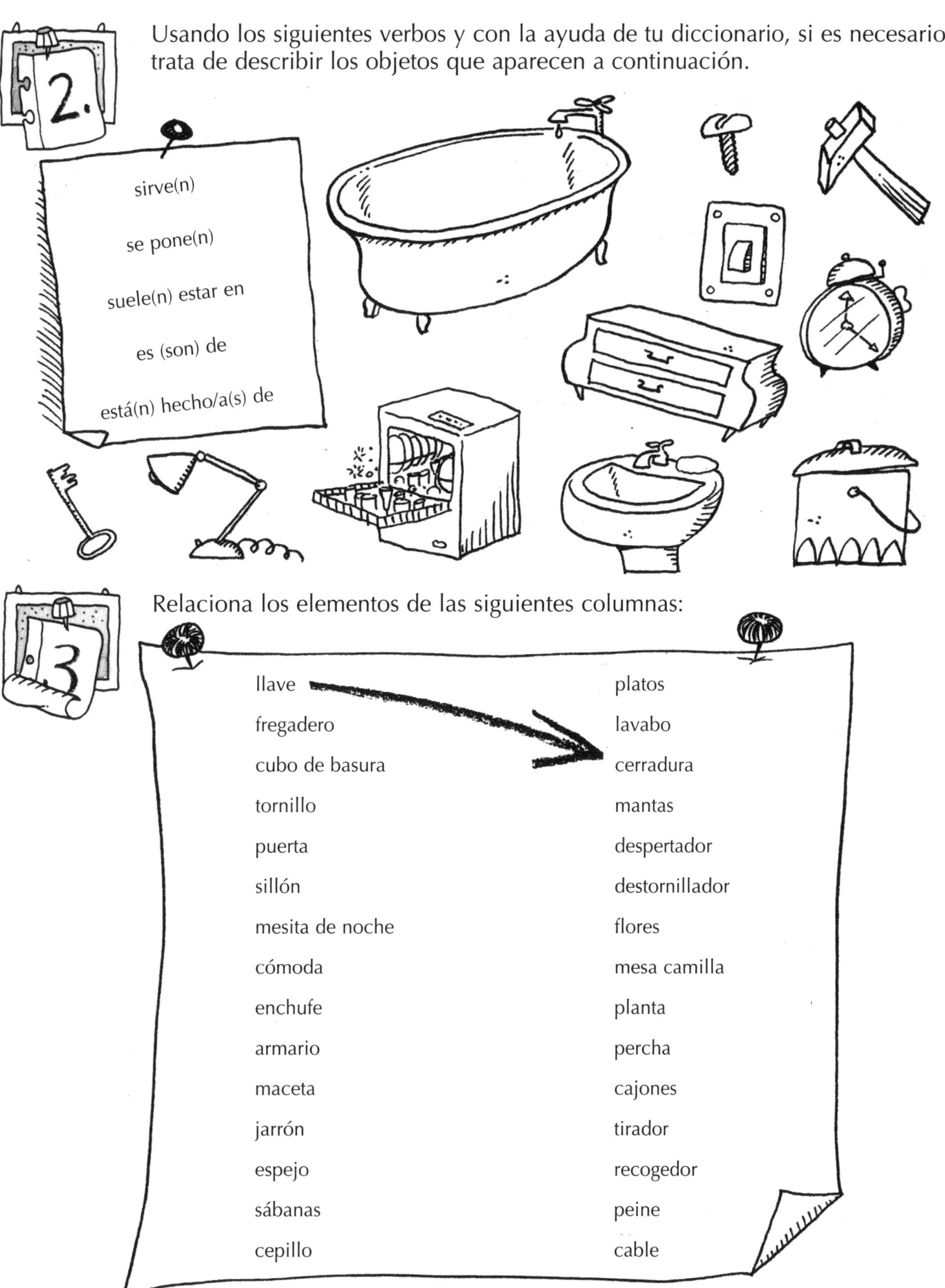

sirve(n)
se pone(n)
suele(n) estar en
es (son) de
está(n) hecho/a(s) de

3. Relaciona los elementos de las siguientes columnas:

llave	platos
fregadero	lavabo
cubo de basura	cerradura
tornillo	mantas
puerta	despertador
sillón	destornillador
mesita de noche	flores
cómoda	mesa camilla
enchufe	planta
armario	percha
maceta	cajones
jarrón	tirador
espejo	recogedor
sábanas	peine
cepillo	cable

¿Asociarías tú cada uno de ellos con otros objetos diferentes? Escribe otras parejas posibles.

Cosas de casa

Fíjate en el siguiente árbol de léxico relacionado con la casa y completa con las palabras que ya conoces los espacios en blanco. ¡Atrévete a ampliarlo después!

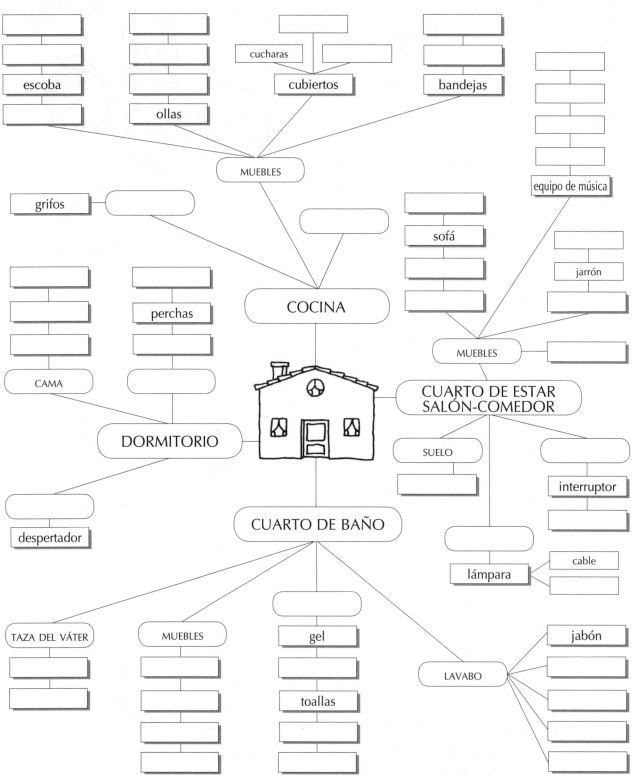

Pasatiempos

Completa los siguientes crucigramas temáticos.

1. Cosas de tela para la casa.

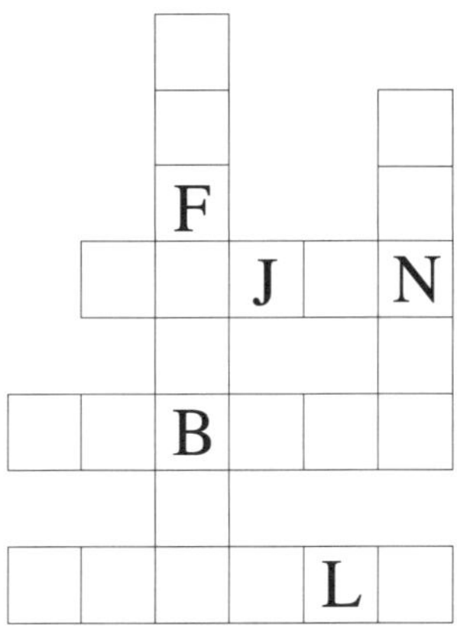

2. Electrodomésticos y cosas relacionadas con la electricidad.

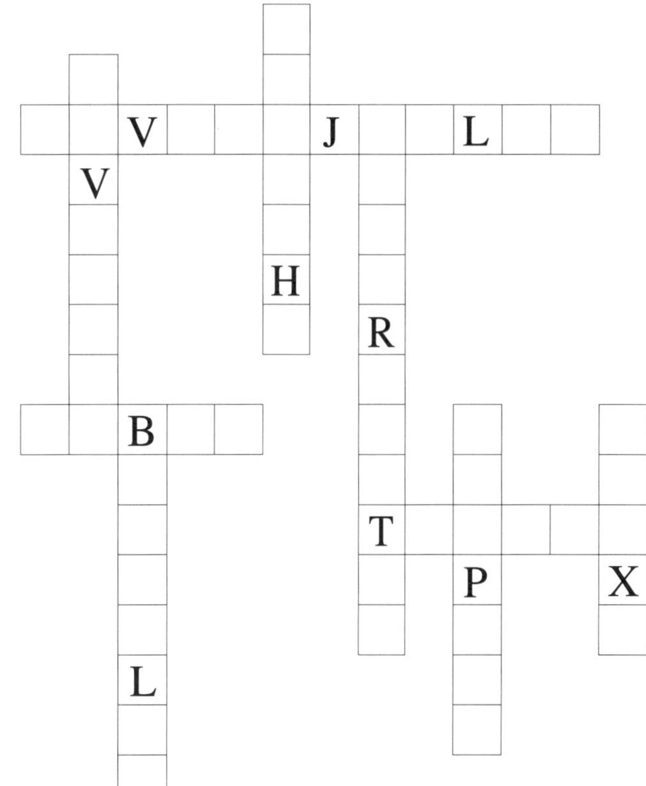

3. Utensilios de cocina.

4. Muebles.

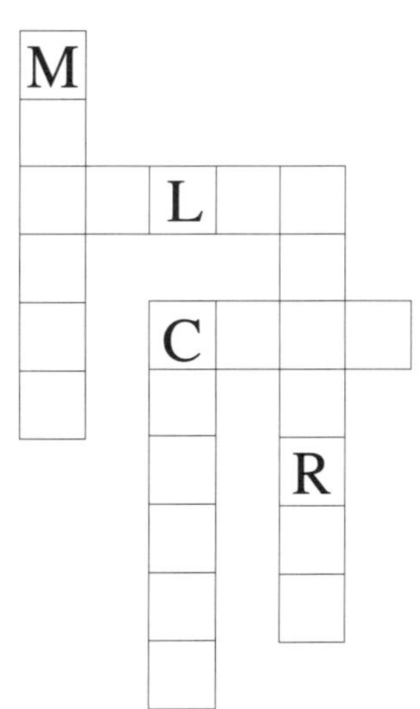

Cosas de casa

¿Cuál es diferente y por qué? Puede haber más de una posibilidad, sólo tienes que argumentarla.

7.

¿Puedes explicar la diferencia entre A y B?

A. Estoy buscando a una chica que estudia francés para que me ayude con una traducción.
B. Estoy buscando a una chica que estudie francés para que me ayude con una traducción.

➪ ______________________________

____

A. Dejé aquel trabajo porque me apetecía trabajar en una empresa que me ofrecía más posibilidades que ésta.
B. Dejé aquel trabajo porque me apetecía trabajar en una empresa que me ofreciera más posibilidades que ésta.

➪ ______________________________

____

Ahora escribe tú cuatro ejemplos más, explicando también la diferencia.

¿Qué harías si, después de haber pagado un dineral por un viaje organizado, resulta que poco o nada de lo prometido era verdad? ¿Por qué no escribes una carta protestando enérgicamente? Contrasta la información de este folleto turístico con la realidad que representan los dibujos.

AGENCIA

¿QUIÉN SABE DÓNDE?

Fin de semana en el corazón mismo de Huesca.

- **Hotel de lujo.**
- **Piscina climatizada.**
- **Instalaciones deportivas.**
- **Aparcamiento vigilado.**
- **Restaurante de primera categoría en el propio hotel.**
- **Visita guiada a los monumentos y a los museos de la ciudad.**

Imagina que eres una momia egipcia que ha resucitado después de cuatro mil años. Estabas escondida en los cimientos del Albaicín de Granada. Ahora vives en un "carmen" abandonado y todo te parece muy extraño, no entiendes nada. Sólo sabes que quieres conservarte aún joven, y que necesitas ayuda y compañía para seguir viviendo en el siglo XXI. Te da miedo salir a la calle porque se te caen las vendas. Necesitas que alguien se preocupe por tu situación y te ayude, así que has decidido escribir una carta al periódico «Ideal» de Granada exponiendo tu problema. Continúa la carta e intenta usar las formas de Indicativo o Subjuntivo que has visto en las oraciones relativas, las que describen objetos, personas, lugares, etc.

Sr. Director de «Ideal»
Gran Capitán, 1 / 18004 Granada

Sr. Director:

Por muy extraño que le parezca, yo nací hace más de cuatro mil años. Sí, sí, no es una broma: soy una momia que, por azar -sería muy largo de explicar-, vive actualmente en el Carmen del Egipcio, en el Albaicín, y cualquiera puede comprobarlo.

Me dirijo a su periódico porque me gustaría conocer a alguien que...

Pero, sobre todo, necesito urgentemente a alguien que...

¿Recuerdas los contextos en los que aparecen las siguientes expresiones? ¿Puedes decir ahora con tus palabras qué significan? Inventa también tu propio ejemplo.

darle calabazas (a alguien)

Se dice cuando una persona le dice que no a otra que quiere salir con ella. Por ejemplo: "A mí me dio calabazas el primer chico del que me enamoré".

dar una torta	ser del año de la pera	pedirle peras al olmo
darse una piña (uno mismo)	ponerse como un tomate	mandar a alguien a freír espárragos
dar las uvas	ponerse como una sopa	sacarle a alguien las castañas del fuego
ser pan comido	importar un pimiento	tener mala leche / uva

Completa los siguientes diálogos con las expresiones más adecuadas.

A. • ¿Has visto a Manolo? Intenta ligar pero siempre le dan ____________.
   ○ Sí. Y a veces se pasa. El otro día le dijo algo obsceno a una chica y ella se puso ____________ y después le dijo que se fuera a freír ____________. Pero parece que a él le importa ____________.
   • Un día le van a dar ____________.

B. • ¡Vaya día! No para de llover, me he puesto ____________ y he estado a punto de darme ____________ con el coche.
   ○ Bueno, sécate un poco y date prisa, que llegamos tarde.

(media hora más tarde)

○ ¿Todavía no estás arreglada? Nos van a dar ____________.
• Es que no sé qué ponerme. Toda la ropa que tengo es del año de __________.

Lee atentamente esta conversación telefónica y elige la forma correcta.

JAVIER.- ¿Qué tal? ¿Cómo estás?
ANDRÉS.- Pues bien. Aquí estaba, preparando la comida.
J.- ¡Qué suerte tiene tu mujer contigo! Mira, te llamaba para pedirte el libro de Neus.
A.- ¿El libro de Neus?
J.- Sí, el libro que te dejaba / dejé / deje / dejara la semana pasada.
A.- ¡Ah, ya!, el que tiene / tuviera / tenga / tuvo el elefante en la portada.
J.- Exacto. Es que me hace falta para un examen.
A.- ¿De qué es el examen?
J.- De psicología animal, y necesito algo que hable / habla / hablando / hables de elefantes y cosas así.
A.- Pues ése está bien, pero yo tenía otro que estuvo / esté / está / estuviera muy bien, de animales domésticos. Si lo quieres...
J.- Muchas gracias, pero hasta / hasta de / hasta que / hasta de que no acabe el de los elefantes no quiero empezar otro.
A.- Vale, cuando lo quieres / quisieras / quieras / queriendo, yo te lo dejo.
J.- Muy bien. Entonces... ¿Cuándo me pasas / pasaras / pases / pasases el libro de Neus?
A.- Mira, voy a buscarlo primero y en cuanto lo encontro / encontrar / encuentre / encuentro, te lo llevo a tu casa. Esta tarde, si quieres.
J.- Muy bien, pero antes de / antes / antes a / antes por venir, llámame porque no sé a qué hora seré / sea / esté / estaré.
A.- De acuerdo, hasta luego.
J.- Hasta luego.

Cosas de casa

Imagina que quieres hacer una fiesta. Tienes que invitar por teléfono a tus amigos y pedirles su colaboración para prepararla. Pero algunos no están. ¿Qué mensajes les dejarías en el contestador automático?

a. A ____________, con quien compartes amigos comunes que no tienen teléfono.

b. A ____________, que sabe cocinar muy bien.

c. A ____________, que entiende bastante de música.

d. A ____________, que vive muy cerca del supermercado.

e. A ____________, que tiene mucho gusto para la decoración

Elige del siguiente cuadro lo que necesites en cada caso y pon el verbo en la forma correcta en las frases de abajo.

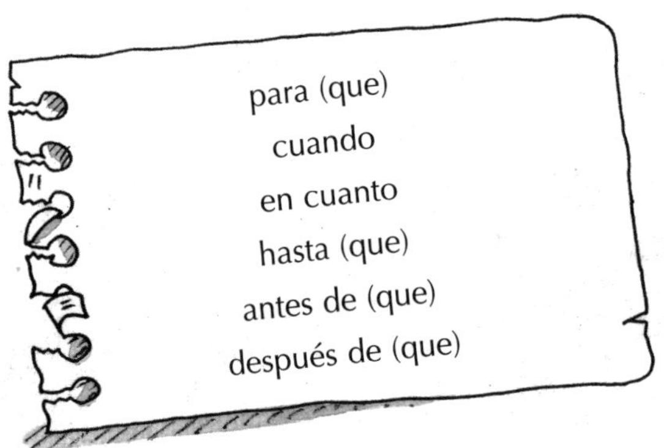

para (que)
cuando
en cuanto
hasta (que)
antes de (que)
después de (que)

1. ____________ los alimentos (CONSERVAR) ____________ al máximo sus cualidades nutritivas, es aconsejable que los dejes cocer el menor tiempo posible y con la cantidad de agua imprescindible.

2. ____________ (PONER) ____________ el aceite al fuego, no dejes que alcance temperaturas demasiado elevadas y llegue a quemarse.

3. ____________ (REALZAR) ____________ el sabor de la ensalada de zanahoria, no utilices vinagre sino zumo de limón.

4. ____________ (TERMINAR) ____________ de hacer tu mayonesa casera, puedes añadirle una cucharada de vinagre de vino previamente calentado ____________ (DARLE) ____________ un bonito color blanco.

5. Mezcla los ingredientes de la ensalada ____________ (ESTAR) ____________ rallados; no esperes mucho porque la luz destruye algunas vitaminas.

6. ____________ (COMPRAR) ____________ una coliflor, comprueba que está fresca observando la cabeza: deberá estar muy apretada.

7. ____________ (PASARSE) ____________ de sal en una comida, añade inmediatamente ____________ terminar la cocción una rodaja de patata. En dos o tres minutos, la patata absorberá la sal y entonces podrás apagar el fuego.

8. __________ (IR) __________ a hacer mermelada casera, no añadas el azúcar __________ el agua (EVAPORARSE) __________ completamente.

9. __________ una naranja o un limón (PROPORCIONAR) __________ más zumo, mételos unos segundos en el microondas __________ (EXPRIMIRLOS) __________.

10. Las tartas no estarán bien hechas __________ no (ENCONTRARSE) __________ ligeramente separadas de los bordes del molde.

15. Imagina que tienes invitados a cenar y cuando abres la nevera, ¡oh, sorpresa! Ves con horror que sólo hay las cosas de la ilustración. ¿Llamarías a la pizzería o...? Inventa una receta. ¡Adelante con tu imaginación!

Ingredientes:

— una botella de vino malo,
— algo de mantequilla,
— un par de huevos,
— una cebolla,
— dos dientes de ajo,
— y una merluza que todavía no huele mal.

También tienes una botella de aceite y medio paquete de harina.

Cosas de casa

A ver si te acuerdas...

1. ¿Qué objeto de los siguientes no se encuentra normalmente en un cuarto de baño?
a. un fregadero b. un grifo
c. un lavabo d. una cisterna

2. Un cajón es.........
a. algo que en puedes meter cosas
b. algo en el que puedes meter cosas
c. algo en lo que puedes meter cosas
d. algo que en lo puedes meter cosas

3. Uno de estos objetos no sirve normalmente para contener líquidos, ¿cuál?
a. una jarra b. una bandeja
c. un vaso d. una cacerola

4. Una percha es.........
a. una cosa que se cuelga la ropa en
b. un objeto en lo que se cuelga la ropa
c. una cosa en la que se cuelga la ropa
d. algo que en el se cuelga la ropa

5. Yo creo que en mi ciudad no hay mucha gente que......
a. va en bicicleta b. va a bicicleta
c. vaya en bicicleta d. vaya a bicicleta

6. ¿Qué pregunta es la más adecuada en una farmacia, para pedir algo para el dolor de cabeza (recuerda que, además, tienes el estómago delicado)?
a. ¿Tiene una medicina para el dolor de cabeza que no hace daño en el estómago?
b. ¿Tiene una medicina para el dolor de cabeza que no haga daño en el estómago?
c. ¿Tiene aquella medicina para el dolor de cabeza que no haga daño en el estómago?
d. ¿Tiene una medicina para el dolor de cabeza que no hiciera daño en el estómago?

7. Ayer no cogí el autobús que.........
a. fuera a Granada b. iba a Granada
c. vaya a Granada d. fuera en Granada

8. Ustedes nos dijeron que había aparcamiento vigilado y no había nadie que.........
a. vigilara nuestro coche b. vigilaba nuestro coche
c. vigiló nuestro coche d. vigile nuestro coche

9. Si algo **te importa un pimiento** significa que.........
a. es muy fácil
b. te han traído de otro país una tontería
c. no te cuesta dinero
d. te resulta indiferente, te da igual

10. Se enfadó con nosotros y el muy mal educado......
a. nos pidió peras al olmo
b. nos mandó a freír espárragos
c. nos sacó las castañas del fuego
d. nos importó un pimiento

11. Cuando el agua ...., se .... el arroz.
a. hierva / echa b. hierve / echara
c. hervirá / echa d. hervirá / eche

12. No vengas hasta que yo.........
a. te llamo b. te llame
c. te llamaré d. te llamara

13. ¿Cuál de los siguientes marcadores temporales no es posible en este ejemplo: .... **venga, saldremos de viaje?**
a. cuando b. en cuanto
c. después de d. en el momento en que

14. Después apague el fuego y deje usted reposar el arroz.........
a. hasta que no queda agua
b. hasta que no quede agua
c. hasta que quede agua
d. mientras que no quede agua

15. Quitar el agua después de cocer la pasta es: ....
a. refrescarla b. colarla
c. escurrirla d. mojarla

16. Puedes añadir una copa de coñac al chocolate.........
a. para saber mejor b. para sabor mejor
c. para teniendo mejor sabor d. para que sepa mejor

17. Una de ellas no se utiliza para cocinar:
a. la cazuela b. la olla
c. la cacerola d. la fuente

18. Me telefoneó el jueves de la semana pasada para que al día siguiente.........
a. llevaba las fotos a revelar
b. lleve las fotos a revelar
c. llevé las fotos a revelar
d. llevase las fotos a revelar

19. Pedro Antonio de Alarcón es.........
a. un poeta de la Generación del 27
b. un novelista hispanoamericano
c. un novelista del siglo XIX
d. una calle llena de bares

20. En la obra de P. A. de Alarcón El sombrero de tres picos los protagonistas (el tío Lucas y la señora Frasquita).........
a. se llevan fatal
b. son muy pobres y desgraciados
c. se quieren y son felices
d. viven en un molino miserable

Vete tú a saber

Relaciona cada palabra o expresión con la frase que se refiere a ella y tendrás una pista para entender su significado y poder recordarla.

1. la vuelta → a. Cuando tengo que pagar, el dinero se va. Pero cada vez que pago, por lo general, algo vuelve.
2. el suelto
3. tener resaca
4. el descapotable
5. tartamudear

b. Es que es... es que es muy... muy tar... ta... tar... ta... ¡tarde!

c. Cuando el techo de un coche se puede quitar y poner, se llama capota.

d. Pensamiento filosófico: "Los billetes son monedas prisioneras. ¡Paga con billetes y suéltalas!"

e. La resaca es el movimiento hacia atrás de las olas, después de haber llegado a la orilla de la playa, y también los restos que deja. ¿Qué te deja una noche de alcohol cuando te levantas?

¿Podrías ahora escribir una definición de cada palabra en el sentido que hemos visto?

1. vuelta: ____________________
2. suelto: ____________________
3. resaca: ____________________
4. descapotable: ____________________
5. tartamudear: ____________________

Analiza los siguientes diálogos y decide si las reacciones marcadas en negrita son adecuadas o no. Si crees que la reacción no es adecuada, anota al lado la que tú utilizarías (recuerda el cuadro de las páginas 95 y 96 del *Libro del Alumno*).

1. • A mí es que lo de subir a la sierra no me apetece.
   ○ ¿Y qué te parece si nos vamos a comer a la playa?
   • ¡~~Venga ya~~!, a la playa sí.

   Bueno, a la playa sí.

2. • Es que yo creo que en España la gente vive bien de verdad, porque hay cosas más importantes que tener mucho dinero, y en España hay un buen clima, y buena comida, y un montón de razones para vivir bien.
   ○ **¡Anda que no!** A mí, desde luego, me encanta España para vivir.
   ____

3. • Perdone, ¿me deja pasar?
   ○ **Seguro**, pase.
   ____

4. • ¿Tú te casarías con un hombre que quiere tener quince hijos?
   ○ **¡Cómo no!**, yo más de dos no pienso tener.
   ____

5. • En esto del matrimonio lo bueno es encontrar a un hombre guapo, tonto y con mucho dinero.
   ○ **Y que lo digas**, eso es lo mejor.
   ____

6. • ¿Sabes que Plácido Domingo se va a casar con Madonna?
   ○ **No me da la gana**, eso es imposible.
   ____

3

Completa las respuestas de los siguientes diálogos, como en el ejemplo:

1. • Pues Laura me ha dicho que, como no le pidas perdón, se vuelve con su marido.
   ○ Ya será menos.
   Siempre está amenazando y al final nunca hace nada.

2. • ¿Qué tal con Emilio? ¿Se solucionó el problema?
   ○ Mira, yo ya no lo soporto. He decidido no dirigirle la palabra nunca más.
   • ¿De verdad? ____________________

3. • Tienes que venir a la fiesta. No puedes decirme que no.
   ○ Pero si es que ya había quedado con Nieves para lo del regalo de Ana y...
   • Que no que no. La llamas y quedas otro día y ya está.
   ○ Bueno. ____________________

4. • Si tenemos que decidir, lo mejor es que nos suban el sueldo y trabajar más.
   ○ Según se mire. ____________________

5. • Claro que se ha equivocado, pero él nunca va a reconocerlo.
   ○ Desde luego. ____________________

6. • Entonces, lo que tú estás diciendo es que tenemos que tener paciencia y esperar tranquilamente a que las soluciones caigan del cielo.
   ○ En absoluto. ____________________

¿Cómo mostrarías tu acuerdo o desacuerdo, si te dijeran alguna de estas cosas? Elige tu reacción entre las formas del cuadro. Si estas formas no son adecuadas a la actitud que quieres expresar, puedes elegir cualquier otra, justificándola, claro:

¡Qué va! **¿Tú crees?** **No me lo creo.** **¿De verdad?** **Ya será menos.** **Por supuesto.** **¡Anda ya!** **¡Menudo rollo!** **No creo.** **Venga.** **Claro.**

1. • Perdone, ¿podría dejarme un bolígrafo? Es que no he traído.

   ○ *Claro, aquí tiene.*

2. • Eres la persona más inteligente y sensible que he conocido.

   ○ ________________

3. • En mi casa mando yo. Allí todo el mundo hace lo que yo digo.

   ○ ________________

4. • Y resulta que todas las noches me despierta el espíritu de un familiar de mi compañera, que está muerto, y yo le digo: "Pero, hombre, despiértala a ella, que es de tu familia, y déjame tranquila", pero el pobre fantasma sólo quiere hablar conmigo...

   ○ ________________

5. •Tú eres ruso, ¿verdad?

   ○ ________________

6. • Perdona, joven. ¿Podrías ayudarme a cruzar la calle?

   ○ ________________

7. • Me han dicho que mañana hay un examen.

   ○ ________________

8. • ¿Tomamos algo?

   ○ ________________

9. • ¡El profesor tiene un Rolls-Royce!

   ○ ________________

Formula las afirmaciones correspondientes a cada suposición:

SI LO SUPIERAS, DIRÍAS...	COMO SÓLO LO SUPONES, DICES...
Lo quieren despedir.	Lo querrán despedir.
	Sería otro hombre.
	Le habrían robado.
	Habrá perdido la memoria.
	Estará loco.
	Estaría disfrazado.
	Se habría peleado con su mujer.
	Tendrá problemas.
	Tendría un accidente.

Completa el siguiente diálogo teniendo en cuenta el contexto que te ofrecemos. Para ello, usa las fórmulas de reacción que creas necesarias (tabla de la actividad 2 del *Libro del Alumno*).

CONTEXTO:

QUIÉNES HABLAN: dos hermanas de 18 y 20 años. La pequeña es muy guapa y la mayor, un poco gorda. Se llaman Angelines y Teresa, respectivamente.

DE QUÉ HABLAN: de la ropa que se van a poner para ir a una fiesta en la que hay unos chicos que les gustan.

QUÉ ACTITUD TIENEN: la hermana mayor intenta convencer a la pequeña de la ropa que tiene que llevar de manera muy autoritaria, pero la pequeña no está muy convencida, de modo que al final se pelean.

TERESA:
¿Por qué no te pones la azul?

ANGELINES:
Es que no me va bien con los zapatos.

T.: Pues es la más bonita.

A.:____

T.: ¡Anda ya! Sabes que a mí no me viene, no es mi talla. No empieces con eso otra vez.

A.:____

T.: Entonces... Ponte los vaqueros éstos.

A.:____

T.: De eso nada, no son viejos, me los compré hace poco.

A.:____

T.: Mira... te grito si quiero, ¿sabes?

A.:____

Ahora intenta construir otro diálogo con el siguiente contexto. Esta vez tú decides todo lo que dicen.

CONTEXTO:

QUIÉNES HABLAN: una periodista agresiva y un actor muy conocido.

DE QUÉ HABLAN: de la vida privada del actor y de su posible divorcio.

QUÉ ACTITUD TIENEN: la periodista quiere obtener información, pero el actor se resiste. Niega todo lo de su divorcio, pero la periodista insiste.

Laura vio ayer a su profesor en la calle, a las cuatro de la madrugada, con la ropa sucia y rota y un volante de coche en la mano. Se lo ha contado a toda la clase y cada uno ha hecho una hipótesis para tratar de explicar lo sucedido. Lo malo es que no han marcado su enunciado como hipótesis. Corrígelos utilizando futuros o condicionales, según sea necesario:

1. Lo han despedido del trabajo.

Lo habrán despedido del trabajo.

2. Tiene problemas con los demás profesores.

____

3. Ha discutido con su mujer.

____

4. Estaba disfrazado de mendigo, investigando la vida nocturna de los estudiantes.

____

5. Le habían robado.

____

6. Había tenido un accidente.

____

7. No era él, era otro.

____

8. Se ha vuelto loco.

____

9. Se había peleado con alguien.

____

10. Ha perdido la razón.

____

11. Tiene doble personalidad.

____

Vete tú a saber

¿Recuerdas los marcadores de probabilidad de la página 101 del Libro del Alumno? Formula la hipótesis correspondiente utilizando el marcador adecuado al grado de seguridad indicado a la derecha:

- ¿Por qué estará gritando?

1. Se ha vuelto loca.

Igual se ha vuelto loca.

2. Ha visto un ratón.

____

3. Se ha asustado por algo.

____

La lluvia en Sevilla es una maravilla.
FIDO

- ¿Cómo es posible que hable?

4. Está practicando su español.

____

5. Es sevillano.

____

6. Esto es un sueño.

____

TUT!
TUT!

- ¿Por qué vendrá así?

7. Le ha tocado la lotería.

____

8. Es su cumpleaños.

____

9. Le han subido el sueldo.

____

Un marido con problemas ha escrito a un consultorio sentimental. Aquí tienes la carta del marido y la respuesta que recibió. Léelas atentamente y completa los verbos de la respuesta.

Querida Nieves:

Soy un hombre de 29 años, alegre, comprensivo y con ganas de vivir, y aunque no sea un modelo, tengo que decir que no estoy nada mal físicamente. Por todo esto es por lo que me resulta extraña la actitud que mi mujer tiene conmigo últimamente. Antes me regalaba flores por sorpresa, me invitaba a cenar solos, se sentía muy atraída por mí. El caso es que hace ya tiempo que no me presta atención, no tiene detalles conmigo. Se pasa el día viendo la tele, especialmente las películas de amor, y por la noche se va de juerga con sus amigas hasta las tantas, dejándome solo en casa. Y lo peor es que cuando vamos por la calle se queda mirando a todos los hombres que pasan, y hasta me comenta lo guapos que son. Nuestra vida es un desastre. ¿Qué puede estar pasando? ¿Por qué habrá cambiado tanto su actitud? Espero tu ayuda, Nieves.

Afectuosamente,

Luis Bardajás

Querido Luis:

La verdad es que tu caso es difícil. Pero todo puede tener una explicación en la vida, y no creo que debas culparla a ella de todo. Me dices, por ejemplo, que ya no te presta atención, que no te hace regalos. ¿No es posible que tú tampoco le **est**_____ prestando atención a ella? Probablemente ella **nec**_____ ver que para ti es importante, y tú no se lo **dem**_____. O, quizá, lo que ha pasado es que simplemente **est**_____ perdiendo la memoria y no **rec**_____ las fechas importantes, los aniversarios y todo eso. Yo que tú no le daría importancia a estas cosas.

Con respecto a lo de irse de juerga por las noches, me imagino que tu mujer **est**_____ pasando por una etapa de hiperactividad, que es muy normal en las mujeres. Yo diría que **t**_____ la necesidad de buscar otras sensaciones, otros ambientes, para afirmarse a sí misma. A lo mejor esto **t**_____ su origen en que la **qui**_____ controlar demasiado, y puede que su subconsciente la emp_____ a reaccionar contra esto.

En cuanto a que ve muchas películas de amor, te diré que es muy probable que **t**_____ la misma explicación. ¿No **s**_____ que tú ya no eres romántico? ¿No **p**_____ ser que ella ya no encontrara en ti al príncipe azul del que se enamoró? Piénsalo, y mira si puedes cambiar esa actitud.

Finalmente, aseguras que sólo se fija en otros hombres. Para esto no tengo realmente una explicación. Es bastante posible que ella los **mir**_____ solamente con una intención estética. Tal vez **t**_____, en realidad, aspiraciones artísticas, y puede que los **cont**_____ como se contempla a una estatua. Si esto es así, no tienes nada de qué preocuparte. Si, por el contrario, los mira con una intención carnal, me temo que **h**_____ dejado de ser atractivo para ella, y puede ser que todo **h**_____ terminado entre vosotros. Es lógico, porque lo más probable es que **h**_____ descuidado tu imagen, que te **h**____ puesto gordo o no **visi**_____ suficientemente la peluquería. ¿No **ha**_____ olvidado la importancia de una bonita ropa interior? Pero no te preocupes, amigo mío, porque la vida es imprevisible, y lo mismo mañana **apar**_____ con un bote de colonia, te **bes**_____ ardientemente y te **lle**_____ a cenar.

Vete tú a saber

Aquí tienes otra carta desesperada que pide ayuda. Redacta una respuesta tratando de buscar una explicación a los problemas que te cuenta. ¡Que sea profesional!

Soy una mujer de mediana edad, culta, bien educada, aunque -tengo que admitirlo- desde pequeñita he sido más bien fea y nunca he tenido éxito con los hombres. Pero un buen día me casé con el más ligón de la clase en la Universidad, que decía apreciar en mí la inteligencia sobre todo. Yo siempre lo he querido mucho, pero últimamente no puedo sentir por él ese amor de antes. El problema es que, de pronto, todos los hombres (mis compañeros de trabajo, mis amigos y los de él, los empleados del banco, los policías de tráfico, etc...) me dicen que están enamorados de mí. ¿Por qué me estará pasando esto? Y lo peor es que yo siento la tentación de darles el sí a todos. Mi marido, por su parte, está también muy extraño: se pasa horas y horas mirándome con cara de tonto sin decir nada, y luego siempre está diciéndome que salga, que me divierta sin él. Yo no entiendo nada. ¿A qué viene esta actitud? Necesito tu ayuda.

Agradecida de antemano,

Amelia

Reacciona ante las siguientes hipótesis según la indicación entre paréntesis.

1. • Lo más probable es que terminemos por destruir la naturaleza completamente.

   (Estás de acuerdo, incluso más convencido que él).

   ○ *Seguro que sí.*

2. • Para mí que esta tarde llueve.

   (Crees exactamente lo contrario).

   ○ ______________________

3. • Si no han llegado todavía es que habrán tenido algún problema con el vuelo.

   (Crees lo mismo).

   ○ ______________________

4. • Pues ese novio misterioso que dicen que tiene Inma tiene que ser Nemesio.

   (No estás nada convencido).

   ○ ______________________

5. • Seguro que el año que viene todo va mejor.

   (No estás muy convencido).

   ○ ______________________

6. • Y si tenemos un problema con el coche, alguien nos ayudará, ¿no?

   (Confías en eso más que él).

   ○ ______________________

7. • Posiblemente todo esto no es más que una falsa alarma.

   (Es exactamente lo que pensabas).

   ○ ______________________

A ver si te acuerdas...

1. • Pues está claro que el mejor cantante de la historia es Julio Iglesias.
○ ....
a. En la vida, porque es muy bueno. b. ¡Venga ya!
c. Encantado. d. No tengo ganas.

2. • Pues dice que ella puede aprender español perfectamente en dos semanas, y además sin estudiar.
○ ....
a. No me da la gana. b. Ya será menos.
c. Según se mire. d. ¡Ni loco!

3. • Venga, hombre, no seas así, acompáñame. Si sólo son diez minutos...
○ ....
a. Bueno, venga, vale. b. Y que lo digas.
c. Igual. d. ¡Faltaría más!

4. • Es rarísimo que José Luis no haya llegado todavía. A lo mejor se le ha estropeado la moto.
○ ....
a. Sí, puede ser. b. Yo diría.
c. De acuerdo. d. No me da la gana.

5. • La profesora está cada día más antipática, ¿no crees?
○ .... Yo la veo tan antipática como siempre.
a. Por supuesto. b. ¡Anda que no!
c. Y que lo digas. d. ¿Tú crees?

6. • ¿Me puedes pasar la jarra de agua, por favor?
○ ....
a. ¿Cuánto me pagarías? b. ¿Por qué?
c. Por supuesto. d. Seguro.

7. • Mira, tú le dices eso a mi marido y yo, a cambio, te prometo presentarte a Jaime, ¿vale?
○ .... Pero tienes que presentármelo seguro, ¿eh?
a. De acuerdo. b. ¡Ni hablar!
c. Según se mire. d. Y que lo digas.

8. • Ya es la hora y la profesora no ha venido.
○ Eso es que estará enferma.
• .... Yo la he visto llegar esta mañana.
a. A lo mejor. b. ¡Qué va!
c. Seguro. d. Me imagino.

9. Soy una persona realista y, por eso, no creo que las cosas......... fáciles.
a. son b. fueran
c. sean d. fuesen

10. Me imagino que nos .... la batería de cocina pronto, porque yo se lo dije a Livio, que es el jefe.
a. manden b. mandaran
c. mandarán d. hayan mandado

11. Seguramente .... de hora, porque aquí no están.
a. que se hayan equivocado b. que se equivocan
c. se han equivocado d. equivocándose

12. Es muy probable que .... la cabeza si seguimos trabajando tanto.
a. perder b. perdamos
c. perdemos d. perderemos

13. No era posible que lo .... todo, porque nadie les había dicho nada.
a. sepan b. sabían
c. sabrían d. supieran

14. • ¡Otra vez se retrasa José Luis!
○ No te enfades: .... algún problema con el coche.
a. habrá tenido b. hubiera tenido
c. haya tenido d. tenido

15. Lo cierto es que no me llamó. Quizás en ese momento se le ....
a. olvida b. ha olvidado
c. olvidara d. olvidará

16. Podría ser que ella se lo .... a su novia.
a. contará b. contaría
c. contara d. habrá contado

17. Si mi amigo es un **cotilla**, es porque le gusta...
a. hablar con todo el mundo
b. estar al lado de la gente cuando tiene problemas
c. estar informado de todo y comentarlo con otros
d. fumarse los cigarrillos hasta el final

18. **Enterarse** de algo es:
a. Cubrirse el cuerpo completamente con algo.
b. Recibir una información sobre algún asunto o comprender algo.
c. Saberlo todo sobre algo.
d. Introducirse en algún lugar disfrazado de algo.

19. Un **tartamudo** es:
a. una persona que repite para que lo entiendan mejor.
b. una persona que no puede hablar ni oír.
c. un hombre que hace tartas que te dejan sin habla.
d. una persona que habla entrecortadamente y repitiendo las sílabas.

20. El indio de la historia de El cautivo de Borges...
a. era realmente el hijo perdido, pero quería vengarse.
b. era realmente el hijo perdido, porque tenía recuerdos de su infancia en la casa.
c. no era realmente el hijo perdido, porque solo se metió en la cocina para buscar un cuchillo.
d. no se sabe si era o no el hijo perdido, porque no reconoció la casa.

El correveidile

Tus compañeros estuvieron ayer en una discoteca y hoy están completamente sordos. Sé amable y repíteselo todo.

1. ● Me duele un montón la cabeza.
   ○ ¿Qué?
   ● *Que me duele mucho la cabeza.*

2. ● ¿Dónde has puesto mi cartera?
   ○ ¿Cómo?
   ● ______________________

3. ● ¿Son ya las cuatro?
   ○ ¿Qué gato?
   ● ______________________

4. ● ¡Cállate de una vez! ¡Estoy estudiando!
   ○ ¿Qué dices?
   ● ______________________

5. ● ¿Qué queréis?
   ○ ¿Eh?
   ● ______________________

6. ● ¿De parte de quién estás?
   ○ ¿Qué?
   ● ______________________

7. ● Ven conmigo y verás.
   ○ No te oigo nada.
   ● ______________________

8. ● Vete a comprar el queso.
   ○ ¿Que Maite te ha dado un beso?
   ● ¡No!______________________

9. ● Tráete mañana el compacto, no te olvides.
   ○ Perdona, pero es que no me entero de nada.
   ● ______________________

Tú también estuviste ayer en la discoteca, claro, y hoy estás tan sordo como tus compañeros. Si no entiendes lo que te dicen la primera vez, al menos lo entenderás cuando te lo repitan, ¿no? Demuéstralo completando la línea de lo que dijeron en primer lugar.

1. ● *¿Has aparcado ya el coche?*
   ○ ¿Qué?
   ● Que si has aparcado ya el coche.

2. ● ______________________
   ○ ¿Cómo dices?
   ● Que me digas qué pone aquí.

3. ● ______________________
   ○ ¿Eh?
   ● ¡Que no me hables tan alto, que no estoy sordo!

4. ● ______________________
   ○ ¿Qué has dicho?
   ● Que si vas a salir.

5. ● ______________________
   ○ ¿Cómo?
   ● Que no te entretengas, que te vayas ya.

6. ● ______________________
   ○ ¿Que está seria Lolita?
   ● ¡No! Digo que qué noche tan bonita.

7. ● ______________________
   ○ ¿Qué?
   ● Que hagas lo que tengas que hacer.

Lo que sigue es una historia muy interesante, pero el que te la está contando habla tan rápido que hay cosas importantes que no entiendes. Pídele que repita lo que no has entendido, reproduciendo la parte del contexto necesaria para asegurarte de que él identifica bien qué es lo que tiene que repetir.

EL COTILLA- Pues resulta que Francisco me dijo que aquel día estaban con ÄΣβÑΩΠΕ, que acababa de llegar de...

TÚ- *¿Que estaban con quién?*

C- Con Lola.

T- Ah.

C- Pues eso, que estaban con Lola, que venía de Málaga de estar con sus padres, y habían ido a una playa de Almería muy bonita y muy solitaria. En fin, que estaban todos allí, tomando el sol completamente ÄΣβÑΩΠΕ, cuando de pronto llegó Pablo, que había estado buceando...

T- ______________________________

C- Desnudos.

T- Ah.

C- Y llegó Juan muy asustado diciendo que había visto un montón de ÄΣβÑΩΠΕ en el fondo del agua, y que había unos tíos...

T- ______________________________

C- De cajas. Cajas grandes y nuevas.

T- Ah.

C- Y eso, que decía que había unos tíos vigilando las cajas que estaban en ÄΣβÑΩΠΕ, y que le habían dicho que se fuera de allí...

T- ______________________________

C- ¡En el fondo del agua! ¿No lo he dicho antes?

T- Ah, sí. Perdona. Sigue.

C- ¿Por dónde iba? Sí, los tíos que estaban allí vigilando, que le dijeron que se fuera y le regalaron un poco de ÄΣβÑΩΠΕ. Y él no quería cogerlo, pero como tenían...

T- ______________________________

C- De lo que había dentro de las cajas. ¿Y a que no sabes qué era?

T- No. ¿Qué?

C- ¡Pues le habían regalado "chocolate", droga! ¡Era droga lo que había en las cajas! Así que te puedes imaginar el miedo que tenían. Pero lo peor es que, de pronto, apareció una lancha y un helicóptero de la Guardia Civil, pero menos mal que escondieron la droga antes de ÄΣβÑΩΠΕ, porque si no hubiera sido un...

T- ______________________________

C- Antes de que los vieran. Ya la habían escondido entre las toallas cuando llegó la Guardia Civil.

T- Ya.

C- Total, que la Guardia Civil detuvo a todos los ÄΣβÑΩΠΕ y sacó todas las cajas del fondo, y al día siguiente...

T- ______________________________

C- Mira, tú deberías lavarte de vez en cuando las orejas, ¿no te parece?

El correveidile

Has encontrado este mensaje en tu contestador automático. Subraya todos los elementos que debes cambiar y después cuenta "todo" lo que dice por escrito. No quieres olvidarte de nada. Recuerda que estás en tu casa.

"Pues mira, soy Leo. Que mañana terminamos las obras del cuarto de Mariana, la vecina a la que estamos ayudando, y ya no nos va a hacer falta el taladro que nos trajiste. Esta semana no podemos movernos de aquí, pero la semana que viene iremos a tu casa para llevártelo, antes de irnos de vacaciones. Yo pienso que es mejor que esté ahí, porque podéis necesitarlo tú o alguien de tu familia. Si os hiciera falta antes, podéis venir a llevároslo. ¿Vale? Pues adiós".

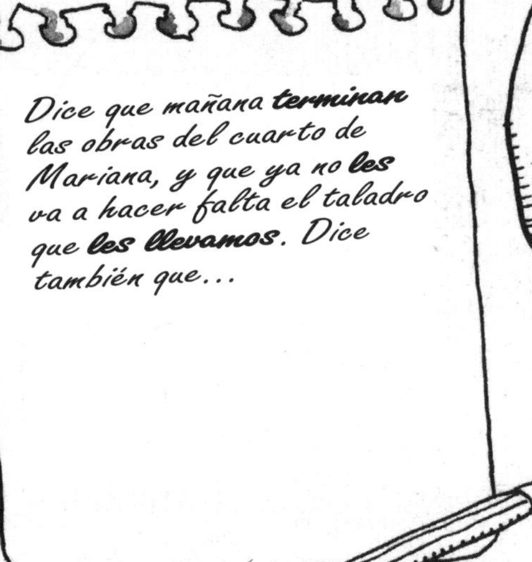

Dice que mañana **terminan** las obras del cuarto de Mariana, y que ya no **les** va a hacer falta el taladro que **les llevamos**. Dice también que...

Leo pasa ahora por tu casa y te cuenta lo que ha dicho Mariana después sobre el taladro. Identifica todo lo que debes cambiar y trata de escribir las palabras originales de Mariana.

LEO: Resulta que ahora dice Mariana que a su marido le gustaría poner una estantería en el salón y va a necesitar el taladro, y que, por eso, a ver si puedes dejárselo allí un tiempo más, si ahí no te hace falta. De todos modos, dice que ella misma te lo trae cuando terminen allí. Dice también que cuando venga otro día le gustaría llevarse nuestra escalera portátil, la que te llevaste, si has acabado de pintar.

MARIANA: "¿Sabes que mi marido quiere poner una estantería en el salón y va a necesitar el taladro? Pues a ver si ***puede*** *dejármelo* ***aquí un*** *tiempo más, si...*

Completa el siguiente cuadro. Si lo haces bien, tendrás unos ejemplos perfectos para el cuadro de correspondencias de tiempos de la página 113 del *Libro del Alumno*.

ENUNCIADO ORIGINAL *Las palabras exactas que se dijeron.*	***REPETIR*** *Cómo lo reproduzco cuando quiero indicar que lo dicho antes es verdad todavía.*	***CONTAR COMO PASADO*** *Cómo lo reproduzco cuando quiero indicar que no es ya verdad, o cuando no sé o no me interesa si lo es o no.*
• ¡Estoy encantada con este sofá!	Dice que está encantada con ese sofá.	Dijo que estaba encantada con aquel sofá.
• Antes no sabía escribir a máquina.		
• Me comí los dos bocadillos.		
• Me he traído las llaves.		
• Me había cansado de decírselo.		
• Probablemente estará en su casa.		
• Yo en tu lugar no lo haría.		
• Para entonces ya habrá venido.		
• Yo te habría tratado como a una reina.		
• No me parece que esté tan limpio.		
• ¡Ojalá me llamara!		
• Es posible que haya llamado a Eva.		
• No me dijo que le hubiera contado nada.		
• Vete a tomar un poco el aire.		

El correveidile

7. Aquí hay uno que sobra. Di cuál y por qué, ya que hay más de una solución.

- decir
- contar
- pedir
- preguntar

- dónde
- cuándo
- cómo
- en

- aquí
- allí
- ahora
- acá

- traer
- llevar
- transportar
- ir

- saludar
- disculparse
- confesar
- comentar

- ayer
- antes
- ahora
- anteayer

- Subjuntivo
- Indicativo
- Infinitivo
- Imperfecto

8. Ésta es la última página de una fotonovela muy romántica. Cuando creas que has encontrado un sentido a la historia, completa los "bocadillos" con lo que dicen los actores. Después cuéntale a tu vecina la historia completa.

El correveidile

Nadie ha sido ni es completamente libre de hacer todo lo que quiere. ¿Recuerdas qué te mandaban y qué te prohibían de niño? Descríbelo, tratando de utilizar los verbos del cuadro.

decir
ordenar / mandar
exigir
permitir
querer
intentar
prohibir
no querer
no permitir

Me mandaban que me callara cuando hablaban los mayores, y siempre me decían que no me ensuciara la ropa...

Y ahora, ¿eres más libre o simplemente son diferentes las personas que tratan de influir sobre ti? Descríbelo también, utilizando algunos de los verbos anteriores o de los siguientes:

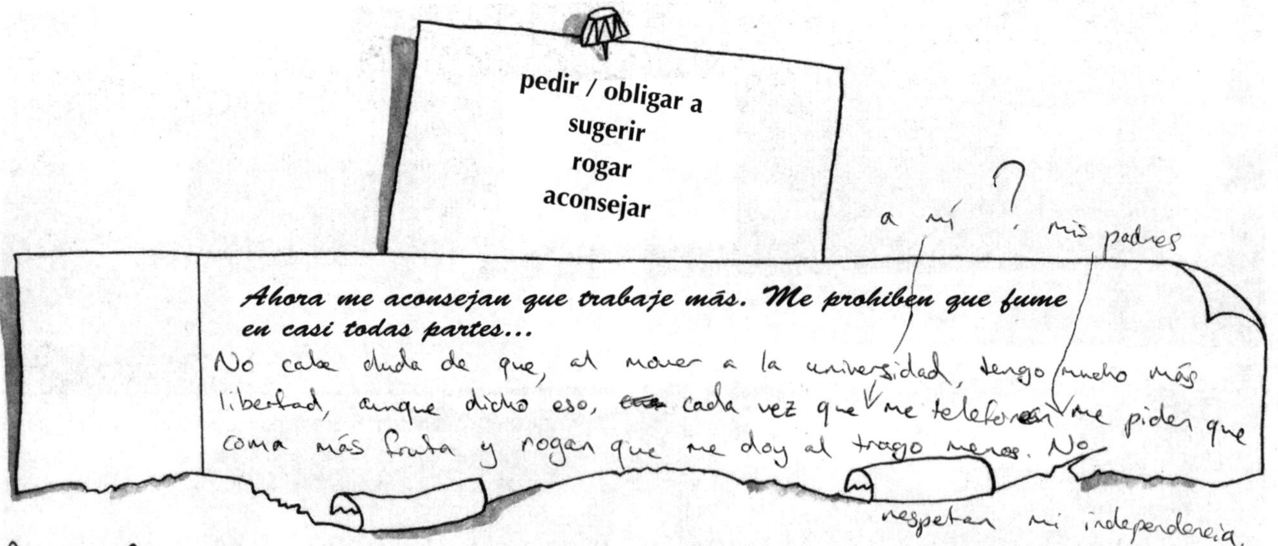

pedir / obligar a
sugerir
rogar
aconsejar
Ahora me aconsejan que trabaje más. Me prohíben que fume en casi todas partes...

¿Pidió o preguntó? Decide el verbo adecuado en cada caso:

1. "Dame la sal". ⟶ Me *pidió* la sal.
2. "¿Me das la sal?" ⟶ Me ________ la sal.
3. "¿Qué hora es?" ⟶ Me ________ la hora.
4. "Vente esta tarde". ⟶ Me ________ que fuera.
5. "¿Te apetece venir?" ⟶ Me ________ que fuera.
6. "¿Sabes lo de Juan?" ⟶ Me ________ que si lo sabía.
7. "Déjame ir contigo". ⟶ Me ________ venir conmigo.

¿No es verdad que existen palabras inolvidables? Haz un repaso de tu vida y recuerda qué te dijeron o qué les dijiste a algunas de las personas que has conocido.

Recuerdo que mi primera novia, el día que nos conocimos, me dijo que ella no bailaba con hombres feos, bajos y con gafas, y que la dejara en paz, y yo le contesté que la dejaría en paz esa noche, pero que al final sería mi novia de todos modos.

En la fiesta de Blas hay mucha gente que habla sin parar. Cruzas el salón y escuchas todas estas frases. ¿Qué crees que están haciendo con lo que dicen? Intenta describir lo que hacían colocando alguno de los siguientes verbos al lado de la frase correspondiente:

saludar **quejarse** **convencer** **regañar**
confesar / admitir / reconocer **poner excusas**
invitar **pedir** **agradecer** **disculparse**

1. "¡Hombre, Emilio! ¿Qué es de tu vida? ¿Arreglaste ya ese problema del trabajo...?" *Lo ha saludado.*

2. "¿Cómo que no? Que sí, mujer, que te vienes. Total, son sólo cuatro días y es una playa magnífica..." ___

____

3. "Pues, ¿sabes qué te digo? Que no deberías habérselo dicho, porque si yo te lo dije como un secreto deberías haberte callado, porque está claro que no se puede confiar en ti..."

____

4. "La verdad es que sí, que no debería habérselo dicho. Es que no me di cuenta de que precisamente ella no tenía que saberlo. En fin, no sabes cómo lo siento. Te prometo que no va a pasar más... "

______________ y ______________

5. "¿Cansada? ¡Cansadísima! Porque es que no se puede trabajar así, en ese clima de inseguridad, de amenazas, que parece que te están haciendo un favor..."

____

6. "No sabes lo bien que me ha venido que me dejaras tu minifalda, hija, porque no tenía nada que ponerme, y con la minifalda tuve un éxito increíble..."

____

7. "Pues, es que tengo un vino que me han traído de Francia que no he querido abrir todavía, y como sé que te gusta el vino, pues he pensado que, a lo mejor, después de la fiesta, te apetecería una copita en mi casa..."

____

8. "Es verdad que me gusta el vino, pero es que resulta que le prometí a mi madre en su lecho de muerte que sólo bebería vino los días impares de los meses pares, así que como estamos en marzo y es día 4 pues no puede ser..."

____

9. "¡Haz el favor de dejarme ya tranquila!"

____

El correveidile

Ahora tú: intenta reconstruir el diálogo original entre dos invitados a la fiesta, Alison y Giovanni, que nos cuenta Blas:

"Pues resulta que Alison se estaba quejando de que no entendía nada de lo que le habían explicado en clase, y rápidamente Giovanni se ofreció para ayudarla y le propuso estudiar juntos. Ella disimulaba, y él insistió otra vez, intentando convencerla de que así se acabarían sus problemas. Y, entonces, ella le agradeció el favor, y Giovanni le dijo que no era un favor, que él lo entendía como una colaboración, y en ese momento se acercó a ella con una cara muy pícara y le susurró algo así como que ella se lo merecía todo, porque no sé qué y no sé cuántos, y entonces Alison se ofendió y empezó a regañarle por su actitud. Total, que Giovanni se puso rojo y empezó a disculparse poniendo todo tipo de excusas, como que había bebido un poco, que ella no lo había entendido bien, y todo eso. Pero como ella seguía enfadada, Giovanni tuvo que reconocer que no había sido muy cortés y se disculpó el pobre como pudo. Pero lo mejor es que después de todo fue ella la que acabó invitándolo esa misma noche a su apartamento. ¿Tú te crees?"

Completa los siguientes enunciados:

1. "Mire usted: lo que nos importa es el ciudadano".

   Todos los políticos **dicen** que ____________________

2. "¡Hombre, pues hemos encontrado otro camino para las Indias!"

   Colón **creía** que____________________

3. "¡Que se sienten, coño!"

   El coronel les **gritó** que ____________________

4. "Estudiad mucho, salid menos y sacaréis buenas notas".

   El profesor siempre nos **aconseja** que ____________________

5. "Hablad mucho y aprenderéis español pronto".

   Mi antiguo profesor siempre nos **decía** que ____________________

6. "Levántate y anda, vamos, que no podemos estar aquí todo el día".

   Le **tuvo que decir** a Lázaro que ______________ porque ______________

7. "Algún día los hombres y las mujeres seremos iguales".

   El loro de mi abuela siempre **repetía** que ____________________

A ver si te acuerdas...

1. • ¿Qué queda en el frigorífico?
 ○ ¿Qué?

 • ....

a. ¿Qué queda en el frigorífico?
b. Qué queda en el frigorífico.
c. Que qué queda en el frigorífico.
d. Que si queda en el frigorífico.

2. • ¿Te importaría cerrar la ventana?
 ○ ¿Cómo dices?

 • ....

a. Te importaría cerrar la ventana.
b. Que cierres la ventana.
c. ¿Que cierres la ventana?
d. Que te importaría cerrar la ventana.

3. • ¿Puedes pasarme la revista?
 ○ ¿Eh?

 • ....

a. Que si puedes pasarme la revista.
b. Que ya llevas media hora con mi revista.
c. Que me pasas la revista.
d. Que puedes pasarme la revista.

4. • ¿Estoy guapa?
 ○ ¿Mande?

 • ....

a. Que qué guapa estoy.
b. ¿Que estoy guapa?
c. Que estoy guapa.
d. Que si estoy guapa.

5. • Pues resulta que su novia es la hermana de ÄΣβÑΩΠΕ, la que nos dijo...

 ○ ....
 • De Calixto.

a. ¿Que ella es qué de Calixto?
b. ¿Que es la hermana de quién?
c. ¿Qué?
d. ¿Quién es la hermana?

6. "Focamarina llamando a Monodeferia. Focamarina llamando a Monodeferia. Estoy en el Polo Norte. Tengo los planos. Venid a recogerlos ya".

a. Dice que allí están los planos, que vengamos rápido a recogerlos.
b. Dice que allí están los planos, que tenemos que ir rápidamente a recogerlos.
c. Dice que aquí están los planos, que vayamos rápido y me los traiga.
d. Dice que ahí están los planos, que tenemos que venir a recogerlos.

7. Pues me acaba de decir por teléfono que ya le han llevado el vídeo, y que nos vayamos a ver una película para estrenarlo.

a. "Ya me han traído el vídeo. Venid y vemos una peli, ¿no?"
b. "Me acaban de llevar el vídeo. Venid y vemos una peli para estrenarlo".
c. "Le han llevado el vídeo. Id a ver una película para estrenarlo".
d. "Ya he estrenado el vídeo. Traed una película y os lo lleváis".

8. "Yo soy una persona muy tolerante, pero si alguien fuma aquí, lo mato".

a. Siempre dice que es muy tolerante, pero si alguien fuma, lo mata.
b. Siempre dice que es muy tolerante, pero que si alguien fuma, lo mata.
c. Siempre dice que era muy tolerante, pero si alguien fumaba, lo mataba.
d. Siempre dice que era muy tolerante, pero que si alguien fumaba, lo mataba.

9. "Te agradezco mucho que me encargues este trabajo".

a. Le dijo que le agradecía que le encargaba el trabajo.
b. Le dijo que le agradece que le encargaba el trabajo.
c. Le dijo que le agradecía que le encargara el trabajo.
d. Le dijo que le agradeció que le encargue el trabajo.

10. "Con esto tendremos más puntos y vamos a estar los primeros en la lista".

a. Les aseguró que tuvieran más puntos y que iban a estar los primeros en la lista.
b. Les aconsejó que tendrían más puntos y que iban a estar los primeros en la lista.

c. Les felicitó porque tendrían más puntos y porque estarían los primeros en la lista.
d. Les aseguró que tendrían más puntos y que iban a estar los primeros de la lista.

11. "¿Tú crees que será posible que vayamos al Cielo?"

a. Le preguntó si ella creía ser posible que fueran al Cielo.
b. Le preguntó que ella creía si sería posible que fueran al Cielo.
c. Le preguntó que ella creía que no era posible que vengan al Cielo.
d. Le preguntó si ella creía que sería posible que fueran al Cielo.

12. "Dejad que ese niño se acerque a mí".

a. Salomón les dijo que dejen que aquel niño se acerca a él.
b. Salomón les estaba diciendo que dejaran que aquel niño se acercara a él.
c. Salomón les estaba diciendo que dejaban que aquel niño se acerque a él.
d. Ellas le respondieron que soltara antes el cuchillo.

13. "El médico me ha dicho que tengo que beber mucho".

a. Me contó que el médico le había dicho que bebiera mucho.
b. Me dijo que el médico le había dicho que tengo que beber mucho.
c. Me contó que el médico le ha dicho que bebería mucho.
d. Me dijo que el médico que se lo ha dicho bebía mucho.

14. "Sácate ahora mismo el dedo de la nariz".

a. Mi madre no me permite que me metiera el dedo en la nariz.
b. Mi madre me prohibía que me meta el dedo en la nariz.
c. Mi madre me ordenó que me sacara el dedo de la nariz.
d. Mi madre no quería que me sacara el dedo de la nariz.

15. El jefe de la tribu, que hablaba un perfecto español, me aconsejó que tomara el camino de la izquierda, porque si no me iba a perder.

a. "Toma el camino de la izquierda o te perderás".
b. "Tome el camino de la izquierda, porque si no me voy a perder".
c. "Tú tomar camino de izquierda o tú perder tú mismo".
d. "Tome el camino de la izquierda, porque te vas a perder".

16. Josema me ha dicho que Millán le había pedido que se tomara algo con él para hablar del tema.

a. "Millán me ha dicho que tomándome algo con él y hablando del tema".
b. "Me ha dicho que me tome algo con él y hablamos del tema".
c. "Me ha dicho que me tomé algo con él y hablamos del tema".
d. "Me ha dicho que me tomaría algo con él y hablaríamos del tema".

17. "Sí, como Coordinador General de esta Comisión, tengo que decir que, ciertamente, ha habido actuaciones irregulares y tendenciosas, y que no siempre se ha jugado limpio".

a. El coordinador tuvo que reconocerlo ante los periodistas.
b. El coordinador puso excusas para no jugar limpio.
c. El coordinador agradeció el juego de la Comisión.
d. El coordinador trataba de convencer a los periodistas.

18. "¡Que sea la última vez que metes al gato en el microondas!"

a. La madre le agradeció al niño su último comportamiento.
b. La madre se disculpó por haber metido al gato en el microondas.
c. La madre regañó al niño por su actitud con el gato.
d. La madre le confesó que era la última vez que metía al gato allí.

19. "¿Por qué no dejas esa revista y me atiendes?"

a. El profesor le pidió que dejaba la revista.
b. El profesor le pidió que dejara la revista.
c. El profesor le preguntó de dejar la revista.
d. El profesor le preguntó que dejara la revista.

20. ¿Recuerdas el cuento de Don Juan Manuel titulado *De lo que aconteció a un hombre bueno con su hijo*? ¿Cuál de éstas podría ser la moraleja?

a. Haz lo que creas que debes hacer, sin hacer caso a lo que diga la gente.
b. Donde vayas, haz lo que la gente haga. Así no serás un extraño en ningún lugar.
c. Si quieres conservar tu propia personalidad, haz lo contrario de lo que la gente te diga.
d. No escuches las críticas de la gente egoísta: defiende a los animales y no permitas que sufran malos tratos.

Las cosas del querer

Completa las siguientes frases con la forma correspondiente del Subjuntivo:

a. Mis compañeros me **recomiendan** que (yo, SEGUIR) ______________ en la empresa.
b. Pedro me **ha aconsejado** que no (yo, VOLVER) ______________ a hablarle.
c. Nos **recomendaron** que (nosotros, HACER) ______________ los trámites pronto.
d. Este señor nos **aconseja** que (nosotros, CAMBIAR) ______________ el dinero ahora.
e. **Aconséjame** que (yo, TIRARSE) ______________ por la ventana y te aseguro que soy capaz de hacerlo.
f. Te **recomendé** que (tú, USAR) ______________ este aceite porque es buenísimo.
g. El médico, seguramente, le **recomendará** que (él, DESCANSAR) ______________ todo lo que pueda.
h. El abogado les **había aconsejado** que (ellos, SER) ______________ sinceros.
i. Siempre os **aconsejaba** que (vosotros, TENER) ______________ calma.
j. Nos **han aconsejado** que (nosotros, TENER) ______________ cuidado.
k. Sus padres le **aconsejaron** que (ella, DEJAR) ______________ los estudios.
l. Te **aconsejaría** que no la (tú, LLAMAR) ______________. Está muy enfadada contigo.

Colocando las soluciones en el siguiente cuadro, tendrás un esquema de la correlación de tiempos entre Indicativo y Subjuntivo con las frases de consejo.

INDICATIVO		que	SUBJUNTIVO	
recomiendan	PRESENTE	—>	PRESENTE	*siga*
______	PRESENTE	—>	"	______
______	IMPERATIVO	—>	"	______
______	FUTURO	—>	"	______
______	P. PERFECTO	—>	"	______
	P. PERFECTO	—>	"	______
aconsejaba	P. IMPERFECTO	—>	IMPERFECTO	*tuviéramos*
______	P. INDEFINIDO	—>	"	______
______	P. INDEFINIDO	—>	"	______
______	P. INDEFINIDO	—>	"	______
______	P. PLUSCUAMPERFECTO	—>	"	______
______	CONDICIONAL	—>	"	______

Las cosas del querer

A una persona le ocurren todas estas cosas. Intenta comprender sus problemas y dale buenos consejos.

a. Es domingo por la tarde y estoy muerto de aburrimiento.

b. Tengo que enviar un telegrama urgentemente, pero no puedo salir de casa porque espero una llamada muy importante.

c. Un tío mío de América me ha dejado una herencia fabulosa, pero me ha puesto una condición para cobrarla: tengo que casarme con su viuda, de 76 años, para cuidarla hasta que muera.

d. Acabo de mudarme a esta ciudad. No conozco a nadie y estoy solo.

e. Con tantos problemas, últimamente no paro de comer y estoy engordando sin parar. Me estoy poniendo como una vaca.

f. Mi suegra vive en el piso de al lado. Siempre entra en casa sin avisar y, normalmente, encuentra algo que criticar.

g. Últimamente ando muy mal de dinero. Casi no tengo ni para pagar el piso. Pero ayer encontré una cartera con 10 000 euros y la documentación dice que pertenece a un conocido millonario. La tengo todavía en casa y, la verdad, no sé qué hacer.

h. ¡Quiero aprender español perfectamente!

Aquí tienes una serie de consejos que el consultorio sentimental de una emisora de radio ha dado a los problemas de sus oyentes. ¿Eres capaz de imaginar y escribir alguno de los problemas correspondientes a estas respuestas?

a. La verdad, querido amigo, es que yo no lo haría de esa manera. Te recomiendo que lo pienses detenidamente y que reconsideres tu decisión. Lo mejor sería que lo hablaras lo antes posible con ella. Seguro que, si lo planteas bien, te entenderá perfectamente, ya que, como tú mismo dices, está muy enamorada de ti.

b. Pero bueno, mujer, tu problema no es tan serio. Todos, en un momento u otro de nuestra vida, tenemos que enfrentarnos a algo así. Deja pasar el tiempo y no te agobies pensando en ello. Ya verás como dentro de unos meses ni siquiera lo recuerdas.

c. Queridos amigos: os agradezco vuestra sinceridad al exponer el problema y me alegro de que hayáis decidido escribirme los dos juntos. La reacción de vuestros padres, aunque no me parece la más acertada, no me extraña nada. Ellos sólo quieren lo mejor para vosotros y, probablemente, tarde o temprano cambien de opinión. Pero vosotros debéis pensar que aún sois muy jóvenes, sobre todo tú, Alicia, y que quizá ésa no sea la mejor manera de conseguir vuestros propósitos. Os recomiendo paciencia y os animo a que me volváis a escribir contándome cómo ha ido todo.

d. Poco puedo decirte, querido amigo oyente. Lo único que puedo hacer es aconsejarte vivamente que visites a un médico especialista. Él seguro que encuentra, mejor que yo, un remedio para tu problema. Lo que está claro, de todas formas, es que no todas pensamos como tu novia; espero que eso, al menos, te sirva de consuelo.

Has recibido la carta de un viejo amigo en la que te cuenta sus problemas. ¿Por qué no le contestas dándole los consejos que te pide?

¡Hola!

Hace mucho tiempo que no te escribo, pero es que casi no he tenido un momento libre. Me han pasado tantas cosas en tan poco tiempo que no sé por dónde empezar. Verás, la semana pasada estuve en la Universidad y me dijeron que no me han admitido para el año que viene. La verdad es que no sé qué hacer. Podría ir a estudiar a una privada, pero son carísimas y últimamente ando fatal de dinero. Para colmo, ayer me llamó Susi para decirme que, o le hago un poco más de caso, o que lo nuestro se acaba. ¿Te das cuenta? Después de dos años... En fin, no sé, quizá lo mejor sea dejarlo todo, buscar un buen trabajo y empezar desde el principio en otro sitio. No sé, ya te digo, estoy hecho un lío. Bueno, a ver si me escribes y me dices tu opinión. Seguro que, por lo menos, es más sensata que la mía en estos momentos.

Un abrazo,

Manolo

¿Recuerdas el léxico referido a relaciones personales que has aprendido? Si ordenas correctamente las letras de estas palabras obtendrás seis tipos de relaciones diferentes:

GACELO __ __ __ __ __ __

GUEYNOC __ __ __ __ __ __ __

PASESO __ __ __ __ __ __

REUNVATA __ __ __ __ __ __ __ __

GIELU __ __ __ __ __

POÑAMORCE __ __ __ __ __ __ __ __ __

Las cosas del querer

Completa con la forma correcta de los verbos entre paréntesis y las palabras que faltan:

A ella *le* (LLAMAR)

encantó que él la *llamara* para cenar juntos.

a. A Carmen y a Alicia ___ pone de muy mal humor que (CERRAR) _____ los bares tan temprano.

b. Cuando iba al colegio ___ Manuel le _____ histérico que la profesora le (HACER) _______ preguntas.

c. No nos ____ nada de miedo (CRUZAR) ________ el pantano a nado.

d. Creo que a mis primos les encantaría que ____ (INVITAR, tú) _______ a la fiesta del sábado.

e. Me ____ mucha rabia _____ a mí nunca me (TOCAR) _______ la lotería.

f. No entiendo a la gente a la que le _______ loca (MONTAR) ______ en la montaña rusa.

g. Me parece que _____ mi madre ___ daría pánico que sus hijos (DEJAR) ________ de estudiar.

h. ¿No te sorprendió que Jesús (VENIR) ________ a la cena sin su mujer?

7.

¿Eres capaz de recordar y escribir el nombre de seis personas de tu clase de español? Si no, no te preocupes, puedes escribir los nombres de otras personas que conozcas:

________ ________

________ ________

________ ________

Ahora piensa un poco en ellos y asocia a cada uno con una de estas expresiones. Después, termina las frases como quieras:

a. Me gustaría muchísimo que ______ ______________________________

b. Me pondría un poco nervioso/a que ______ ______________________________

c. La verdad es que me pondría de mal humor que ______ ______________________________

d. Me daría completamente igual que ______ ______________________________

e. Creo que me daría mucha vergüenza que ______ ______________________________

f. Seguro que me alegraría bastante que ______ ______________________________

¿Puedes poner los verbos en la forma correcta?

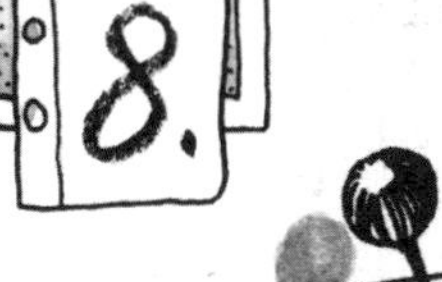

a. Cuando vivía en España no conocí a nadie que (HABLAR) ________ bien mi idioma.

b. Siempre he querido que me presenten a la profesora que (DAR) ________ clase en el aula de al lado.

c. Me da mucha rabia que la gente (CRITICAR) ________ a las personas que no (CONOCER) ________ bien.

d. No puedo encontrar a nadie que (QUERER) ________ quedarse cuidando a mis hijos el sábado por la noche.

e. ¿Hubo alguien ayer en la fiesta que (BEBER) ________ más de la cuenta?

f. Por favor, déjame algo que (SERVIR) ________ para quitarle esta mancha a la camisa.

g. Le pedí a Alberto por mi cumpleaños un regalo que no (COSTARLE) ________ mucho dinero, pero mira, me ha comprado este collar de perlas.

h. Si vas a Segovia, tráeme algo que (SER) ________ típico de allí para mi colección de recuerdos.

Recuerda los cuadros de la página 133 del Libro del Alumno y completa estas frases usando los recursos que has aprendido. Intenta no repetir ninguno.

Nunca conocí a nadie que tuviera más de 100 años.

a. ________________ que sale todos los días a la misma hora.

b. ________________ que corría detrás de todos los niños en el parque.

c. ________________ que bailara el twist como mi prima Carmela.

d. ________________ con el que se pueda estar a gusto.

e. ________________ donde no hubiera ruidos ni hiciera frío.

f. ________________ para los que lo más importante en la vida sea el dinero.

g. ________________ de la que nunca se puede hablar mal.

h. ________________ a la que le encante pasear por la tarde y ver las puestas de sol.

¿Puedes continuar estas conversaciones con **ya que**, **dado que** o **puesto que**?

a. ● ¡Hace un calor horrible!
 ○ Sí, es verdad, y creo que ____________________ lo mejor es que dejemos de estudiar y nos vayamos a la playa.

b. ● ¡Qué poca gente hay hoy en clase!
 ○ ____

c. ● Ha llamado Paquita y me ha dicho que si salimos a comer con ella y Ramón.
 ○ Si quieres, ve tú. Yo me voy a quedar toda la tarde en casa.
 ● ____

Relaciona los elementos de cada columna y escribe después las frases que hayas construido:

No pudimos ir de excursión	A CAUSA DE	un préstamo del banco.
Hemos conseguido pagar la casa		el avión tuvo una avería.
Nunca hace bien las cosas	GRACIAS A (QUE)	la ayuda de un amigo editor.
Han llegado una hora tarde		el mal tiempo que hacía.
Os habéis perdido la primera parte del concierto		los incendios provocados.
He conseguido publicar el libro	POR CULPA DE (QUE)	impaciente. Jamás las termina.
Muchos bosques se han perdido		los equipos de rescate llegaron a tiempo.
No hubo más víctimas en el accidente	POR	llegar tan tarde.

a. ____________________

b. ____________________

c. ____________________

d. ____________________

e. ____________________

f. ____________________

g. ____________________

h. ____________________

12. ¿Qué tal memoria tienes? Lo veremos. Aquí tienes la definición que da el diccionario de seis palabras que has visto en esta lección. Si las descubres todas, obtendrás, leyendo las letras de las casillas marcadas, el título de una de las películas más famosas de Luis Buñuel:

a. Condición o estado de novio o novia: _ _ ☐ _ _ _ _ _ _

b. Alabanza de los méritos de una persona o cosa: _ _ _ _ ☐ _

c. Falta de ganas para hacer las cosas: _ _ ☐ _ _ _

d. Dícese de la vida que se aparta de las convenciones sociales, especialmente la de artistas y literatos: _ _ _ _ _ _ ☐ _

e. Duda entre dos alternativas o posibilidades: ☐ ☐ _ _ _ ☐

f. Esposo o esposa: _ _ ☐ _ _ _ _ _

g. Trozos de madera que se usan como combustible para hacer fuego: _ _ _ ☐

La película es: _ _ _ _ _ _ _ _ _ _ _

Las cosas del querer

A ver si te acuerdas...

1. • Pues a mí no me apetece nada salir a cenar fuera con mucha gente.
○ Bueno, ¿y si .... algo aquí en casa sólo para nosotros dos?
a. hagamos b. preparáramos
c. haríamos d. prepares

2. A Emma no le gustaría nada de nada que su hermano mayor le .... su muñeca.
a. rompe otra vez b. dejara de romper
c. volviera a romper d. volver a estropear

3. Cuando .... pequeño me ponía de los nervios que me .... a ir al colegio.
a. fui / obligaban b. fui / obligaran
c. era / obligaran d. estaba / obligaron

4. A Adela le pone de mal humor .... todos los días las tareas de la casa.
a. que haga b. fregando
c. que hiciera d. hacer

5. ¿No crees que sería mejor que .... un poco antes de las once? Si no, tu madre se va a preocupar.
a. volver b. regresamos
c. volveremos d. regresáramos

6. El médico le había aconsejado que no .... esfuerzos innecesarios, pero a su jefe no parecía importarle.
a. pidiera b. hiciese
c. realizar d. haga

7. ¿Y de verdad no conoces a nadie que .... alguna vez en Soria? Pues es una ciudad preciosa.
a. esté b. ha estado
c. vaya d. haya estado

8. • ¡Por fin! He terminado de hacer el ejercicio.
○ Oye, pues .... has terminado, ¿por qué no me .... a hacer la cena?
a. porque / ayudas
b. dado que / ayudaras
c. ya que / ayudas
d. a pesar de que / ayudes

9. La persona que vive con lo necesario y no necesita ningún tipo de lujo en su vida, decimos que es ....
a. celosa b. novia
c. austera d. machista

10. En el sur de España normalmente llueve poquísimo, ... en algunas zonas del norte no para de llover durante todo el año.
a. y a pesar de eso b. mientras que
c. aún así d. puesto que

11. ¿Quién y cuándo escribió La Celestina?
a. Fernando de Rojas en el siglo XV.
b. Rodrigo Peñalosa en el siglo XVII.
c. Clemente Bernad en el siglo XVI.
d. Luis de Santiago en el siglo XIV.

12. Mi abuela no soportaba que .... con las codos en la mesa.
a. comíamos b. lavásemos
c. comamos d. comiéramos

13. La verdad es que me encantará que .... a visitarme otra vez a Granada.
a. venir b. vinieras
c. vengas d. vendrás

14. • ¿Sabes ya las notas?
○ Sí, y me han vuelto a suspender; eso me pasa .... vago y perezoso: no he estudiado nada durante todo el mes.
a. por b. para
c. a causa de d. aunque

15. **Marido** y **mujer** es a **matrimonio** lo que **novio** y **novia** es a ....
a. noviedad b. noviazgo
c. aventura d. novierío

16. Rosana no quiere casarse con Jesús, que la .... tanto.
a. quiera b. quisiera
c. desee d. quiere

17. Me .... pánico .... en avión. Nunca podré acostumbrarme.
a. pone / subir b. dio / que monte
c. da / montar d. pone / que suba

18. Mira, yo que tú .... en barco. El viaje es algo más largo pero creo que merece la pena.
a. iba b. iré
c. irías d. vaya

19. Tener una aventura amorosa fuera del matrimonio es ....
a. ligar
b. tener un cónyuge
c. echar una cana al aire
d. pedirle peras al olmo

20. El pobre no tiene tiempo para nada y .... está sacando poco a poco la carrera de Derecho.
a. en cambio
b. por culpa de eso
c. así
d. a pesar de eso

Al pie de la letra

Aquí tienes el análisis y el titular de una noticia. ¿Por qué no tratas de escribir la noticia completa? Después, compara tu versión con la noticia original que tienes en las hojas de soluciones, y señala qué diferencias hay entre tu texto y el texto real: vocabulario, tipo de información, etc.

Farmacéutica catalana se niega a vender condones sin receta

QUIÉN: María Cinta Nogués, farmacéutica catalana.

QUÉ: se niega a vender preservativos si no es con receta médica.

DÓNDE: una farmacia de Mora la Nova.

CUÁNDO: no lo dice.

POR QUÉ: por razones éticas, el código moral de los farmacéuticos y el discurso del Papa.

Ahora, si tienes acceso a prensa en español, lee dos o tres noticias y haz su análisis según el ejemplo. Después redacta tú mismo la noticia y comprueba las diferencias con el texto real.

Piensa en situaciones que expliquen la diferencia entre:

perdido - perdiendo   diciendo - dicho   caído - cayendo

amado - amando   tocado - tocando

chupando - chupado   devuelto - devolviendo

Imagina que la semana pasada leíste estos titulares de periódico. ¿Cómo los contarías ahora? Fíjate en que muchas palabras y formas verbales pueden cambiar cuando contamos las noticias en una conversación.

Disminución alarmante de la natalidad en los países desarrollados

El otro día leí que en los países desarrollados ahora nacen muchísimos menos niños.

a. "Propinan una paliza a un municipal al intentar éste mediar en una reyerta"

b. "Acercamiento de posturas entre gobierno y sindicatos en el conflicto de IBERIA"

c. "Fallece a los 85 años el autor teatral Ivan Ploff. El sepelio tendrá lugar el próximo martes."

d. "Hallados los restos del naufragio del buque "Palomera" en el litoral malagueño"

e. "Las lluvias provocan inundaciones y destrozos en las zonas rurales del norte de España"

Pon el verbo en la forma correcta:

a. Según ________ (DECLARAR) el entrenador del Fútbol Club Barcelona, el jugador del Bayern de Munich, Dietmar Weiss, podría ________ (FICHAR) como tercer extranjero para la próxima temporada. Las condiciones económicas ________ (DISCUTIR) todavía, pues la oferta económica del Barça no ________ (ACEPTAR) aún por el jugador.

b. Cuatro mil hectáreas de bosque ________ (ARRASAR) ya por un incendio de enormes proporciones que se ________ (DECLARAR) en la noche de hoy en la provincia de Tarragona. Según los servicios de Protección Civil, no cabe duda que ________ (PROVOCAR) y que, a menos que cambie la dirección del viento, la extinción se verá muy ________ (DIFICULTAR). Al cierre de esta edición, bomberos y voluntarios ________ (AYUDAR) por el ejército en su extinción.

Hace una semana recibiste esta carta de un amigo que había estado visitándote unos días en tu casa. Al volver a su ciudad, tuvo una pequeña aventura en el avión. ¿Cómo se la contarías ahora en una carta a un amigo común que no sabe todavía nada de la historia?

Hola:
Te escribo para contarte lo que me ha pasado en el viaje de vuelta a Oviedo. No te lo vas a creer, pero cuando todos estábamos sentados en el avión a punto de despegar, el comandante nos informa de que, debido a la niebla, el avión tendría que desviarse y aterrizar en otro aeropuerto del norte de España, pero lo peor es que aún no sabían muy bien en cuál. Bueno, despegamos, todo normal, y después de una media hora el comandante nos dice que vamos a hacer un aterrizaje forzoso porque se han estropeado las ruedas. Te puedes imaginar el pánico entre los pasajeros, los gritos y las caras pálidas de muchos de nosotros. Y, bueno, aterrizamos con las cabezas entre las rodillas, gafas y zapatos quitados, en el aeropuerto de Madrid, y fuera estaban esperando ambulancias y bomberos que, por suerte, no hicieron ninguna falta. Y ahora, por fin, estoy aquí, en casa, después de un viaje de seis horas en autobús, con un susto que me durará bastantes días y casi sin ropa porque, para colmo, mi maleta la pusieron por error en otro avión que iba a Frankfurt. ¿Te lo puedes creer? En fin, ya te llamaré para contarte más detalles.

Un abrazo,

Antonio

En esta lección has visto mucho léxico nuevo. Para repasar algunas palabras de las que has aprendido y para conocer otras nuevas, puedes completar este cuadro con el adjetivo, el verbo o el sustantivo que falten. A veces existe más de una palabra para cada caso. ¿Cuántas puedes encontrar?

ADJETIVO	VERBO	SUSTANTIVO
descubierto	descubrir	descubrimiento
podrido		
	reprimir	
		rechazo
	pervertir	
admitido		
		propuesta
responsable		
	intimar	
		vejez
	participar	
joven		

Escribe ahora cinco frases con cinco de los sustantivos del cuadro anterior:

El descubrimiento de América se produjo en 1492.

Ahora intenta transformar esas cinco frases para expresar el mismo contenido pero usando los elementos de las otras columnas, como en el ejemplo

América fue descubierta en 1492.

Al pie de la letra

Completa con el verbo adecuado en la forma correspondiente (hay diferentes soluciones posibles).

a. En la rueda de prensa, Isabel ______ que ______ embarazada y que ______ tomado precauciones para no tener hijos.

b. Borja ______ que alguna vez ______ tenido problemas durante su relación, pero que nunca ______ violencia.

c. Sin embargo, Isabel ______ a Borja de malos tratos y vejaciones.

d. Borja ______ ser el padre del hijo de Isabel y ______ una prueba de paternidad.

e. Isabel ______ a los periodistas que Borja ya ______ tenido complicaciones en su anterior matrimonio.

f. Un periodista le ______ a Borja que, entonces, a qué se debía la cicatriz que Isabel ______ en la cara.

g. Borja ______ que se debía a un accidente en una sesión de depilación facial.

h. Isabel, muy irritada, ______ que ella no tenía pelos ni en la cara ni en la lengua y que se callaba por no decir vulgaridades.

i. Isabel ______ a los periodistas, si querían comprobar lo que decía, que ______ a su sirvienta, que había sido testigo de todo.

j. Después de la rueda de prensa, los periodistas ______ que Isabel y Borja ______ un psiquiatra urgentemente.

8.

En cada caja hay uno que sobra. Pero no sólo hay que averiguar cuál es, sino también explicarlo, porque puede haber más de una solución.

- arqueólogo - sarcófago - excavación - tierra
- noticias - catástrofe - asesinatos - accidentes
- fútbol - entrenador - jugador - equipo
- nudismo - ministro - turismo - playa
- afirmar - señalar - opinar - pedir
- proponer - recordar - negar - pedir
- embarazo - hijo - sexo - peso
- negocios - portada - sucesos - periódico
- ropa - pasarela - modelo - tienda

En estas frases hay un error gramatical, ¿puedes corregirlo?

- La momia ha sido encontrado en unas excavaciones.
- El ministro pretendía de desmentir todo lo que había dicho anteriormente.
- Alicia acusó a sus hermanas en haberle robado dinero del bolso.
- Clara negó que había sido ella. No había tocado el bolso de su hermana y ni siquiera lo había visto.
- Violeta reconoció que ella tomara un poco de dinero prestado, pero que había olvidado decírselo a Alicia.

Tú eliges: Gerundio o Participio.

1. • Estás ________ (BEBER) demasiado: déjalo ya, que no tengo ganas de verte ________ (BAILAR) otra vez encima de las mesas.
   ○ Oye, yo bebo lo que quiero... Y, además, todavía no estoy ________ (BEBER), aunque haya ________ (BEBER) un poco.

2. El gato se ha puesto malísimo: si no está ________ (MORIR) ya, es que se está ________ (MORIR).

3. Estaba ________ (ESCRIBIR) en mi libreta lo que el profesor había ________ (ESCRIBIR) en la pizarra, pero me acabo de dar cuenta de que no es necesario porque eso mismo está ________ (ESCRIBIR) en el libro.

4. Entran dos amigos en un cine a oscuras:
   • No veo nada... ¿Dónde puede estar ________ (SENTAR) Mati?
   ○ Ni idea... Mira, ¿no es ésa que se está ________ (SENTAR) allí?

5. • ¿Por dónde se va a tu pueblo?
   ○ Pues por la carretera de Murcia. Está a unos cincuenta kilómetros, ________ (PASAR) un pueblo que se llama Purullena.
   • ¡Ah, ya sé! Creo que he ________ (PASAR) por ahí alguna vez.

6. Ring, ring...
   • ¿Dígame?
   ○ Soy Consuelo, ¿está Ricardo?
   • Sí, pero no puede ponerse: está ________ (DORMIR).

7. • ¿Sabes? Almodóvar está ________ (RODAR) una película en Albacete.
   ○ ¿Ah, sí? Pues será que Albacete está de moda, porque este año yo ya he visto dos películas que están ________ (RODAR) allí: El convento y otra de terror que no recuerdo cómo se llama.
   • Pues eso, que a los del cine les ha dado por Albacete.

8. • ¿Qué haces?
   ○ Estoy ________ (TERMINAR) el trabajo de español.
   • ¿No vas a salir?
   ○ ¡Qué va! Imposible. Si no está ________ (TERMINAR) hoy y está ________ (ENTREGAR) mañana, me suspenden seguro. Otro día, ¿vale?

9. Este libro fue ________ (IMPRIMIR) en Calatayud, en 1777: es una edición muy valiosa.

10. • ¿Has terminado ya con el ordenador?
    ○ Sí, solamente estoy ________ (IMPRIMIR) unas cosillas y te lo dejo libre en unos segundos.

11. • ¿Este cuadro está ________ (PINTAR) por Picasso o es una reproducción?
    ○ ¿Es que crees que soy millonario? Claro que es una reproducción.

12. • Guada, ¿cuándo te mudas de casa?
    ○ Pronto, porque está ya ________ (PINTAR) y casi ________ (TERMINAR) de decorar. ¡Tengo unas ganas...!

Transforma las frases siguientes con la voz pasiva, como en el ejemplo (consulta, si lo necesitas, el cuadro de la página 145 del Libro del Alumno):

1. El Barcelona va a fichar a un jugador del Ajax.
Un jugador del Ajax va a ser fichado por el Barcelona.

2. Han rescatado a tres monjas que estaban secuestradas en un convento.

____

3. En Almuñécar se ha encontrado un sarcófago egipcio en unas excavaciones.

____

4. La Alhambra la construyeron los musulmanes.

____

5. Isaac Peral inventó el submarino.

____

6. Colón descubrió América en 1493..., no: en 1492.

____

7. En México el PRI ha convocado elecciones para el próximo marzo.

____

8. Al año que viene van a encargar la conservación de Chichén Itzá a un patronato privado.

____

9. La policía decomisa un cargamento de chanquetes en Baracaldo.

____

10. Un estudio de Hollywood producirá la próxima película del director Alejandro Amenábar.

____

12. A ver si eres capaz de ponerle título a estas noticias:

____

La Paz, Bolivia.- Un congresista estadounidense, cuyo nombre no ha transcendido a los medios de comunicación, propuso recientemente enviar portaaviones a las costas bolivianas para combatir el narcotráfico, de manera que los aviones de combate pudieran bombardear los cultivos de coca cómodamente. El político ignoraba que Bolivia no tiene salida al mar, a pesar de lo cual está encargado de la comisión de lucha contra el tráfico de drogas del Congreso norteamericano. La noticia fue transmitida por un locutor de la televisión boliviana que no pudo contener la risa.

____

Las Vegas, EE.UU.- La capital de la perversión del estado de Nevada, conocida por sus numerosos casinos, es el lugar elegido para la instalación de un centro de tratamiento contra la ludopatía. El tratamiento será gratuito y la financiación correrá a cargo de Jeff Mosher, que es también el que ha ideado el proyecto. Jeff Mosher ganó una apuesta de pocker que le convirtió en millonario, pero su sensatez le hizo darse cuenta de los peligros del juego y lo abandonó, no sin costarle un gran sacrificio. Ahora está decidido a ayudar a los demás a salir del pozo de la ludopatía.

____

Medellín, Colombia.- Un campesino de 59 años, Custodio Zapatero, sufría unos horribles dolores en el abdomen, que fueron diagnosticados como un tumor de unos doscientos gramos, localizado en la vejiga. Como resultado de la intervención quirúrgica a la que fue sometido, se descubrió que el tumor era en realidad el feto de su hermano gemelo que había llevado dentro de su propio cuerpo desde su nacimiento.

____

Un hombre de 46 años se intentó suicidar prendiendo fuego a su vivienda, después de darse cuenta de que había perdido el premio de ocho millones de pesos en el último sorteo de la Lotería Nacional peruana. Al susodicho le había caducado la fecha de admisión del boleto, según declaró la policía. Había comprado un abono que le permitía jugar los mismos números durante cinco semanas, pero el sábado, cuando la televisión repetía los números ganadores del abono que nadie reclamó, se percató de que era el suyo.

A ver si te acuerdas...

1. Carolina me propuso que la .... a hacer unas compras ayer por la mañana, pero tuve que decirle que no .... hasta por la tarde.
a. siguiera / podría
b. acompañe / podía
c. acompañase / iba a poder
d. obligara / tenía

2. Se han oído algunos .... de que la pareja Di Cósimo-Von Bollen va a separarse, pero son totalmente infundados.
a. cotilleos b. rumores
c. susurros d. aires

3. Algunos medios de comunicación .... al ministro de no querer informar sobre el tema del nudismo en las playas.
a. han afirmado b. han acusado
c. han recordado d. han supuesto

4. Te he pedido mil veces .... a mí ocuparme de los asuntos de dinero en casa.
a. que me dejes b. dejármelo
c. que dejarme d. que dejaras

5. He leído que la policía .... un cargamento de droga que estaba en la bodega de un barco.
a. detuvo b. decomisó
c. requirió d. impidió

6. El subsecretario de asuntos sociales insistió .... las condiciones sanitarias de todos los .... de ancianos del país.
a. que investiguen / hoteles
b. a que descubrir / chamizos
c. de que van a investigar / refugios
d. en que investigarán / asilos

7. Cuando era pequeño se cortó con un cristal en la cara y le ha quedado una pequeña .... en ....
a. cicatriz / la mejilla b. lunar / el cogote
c. muesca / el rostro d. herida / la faz

8. Cuando **el agua de una fuente no se puede beber**, decimos que esta agua es ....
a. imbebible b. no potable
c. no tragable d. alucinógena

9. Y te lo digo una vez más: yo .... a hacer el doble de trabajo que los demás.
a. insisto b. deseo
c. rechazo d. me niego

10. Cuando se halla algo, se produce ....
a. un halluzgo b. un hallamiento
c. una hallación d. un hallazgo

11. El entrenador del Bayern de Munich .... que Weiss .... fichado por el Fútbol Club Barcelona.
a. negó / habría sido
b. negaría / hubiera sido
c. negó / ha sido
d. negó / hubiera sido

12. El legendario jefe indio se llamaba ....
a. Toro Sentado b. Toro Sentándose
c. Toro Sentarse d. Torito Enamorado

13. Un corresponsal es un ....
a. necrófilo b. vago
c. periodista d. arqueólogo

14. El portavoz de la policía negó que los detenidos .... malos tratos antes de su ingreso en prisión.
a. hubieran sufrido b. haber sufrido
c. sufrieron d. se pusiesen a sufrir

15. Cuando alguien te saca los trapos sucios ....
a. es que quiere que pongas la lavadora
b. es que hace públicas tus intimidades
c. es que se desnuda en público
d. es que te cuenta su vida

16. La primera página de un periódico se llama también ....
a. portada b. puerta
c. cubierta d. redacción

17. La sección de sucesos de un periódico informa sobre ....
a. la bolsa
b. la vida social y el mundo frívolo
c. la vida militar
d. las catástrofes y los siniestros

18. Federico García Lorca murió asesinado por los fascistas en ....
a. la Guerra Civil
b. la Guerra de Cuba
c. tiempos de la República
d. la Guerra de Independencia

19. Y esto ocurrió en la misma ciudad en que había nacido y que era ....
a. Albacete b. Barcelona
c. Andalucía d. Granada

20. En el poema de Lorca que has leído en esta Unidad, ¿quién mataba a quién?
a. Federico García a los Hermanos Heredias.
b. Los Hermanos Heredia a Antoñito el Camborio.
c. Antoñito el Camborio a Federico García Lorca.
d. Lorca a su gato, porque maullaba demasiado.

Suspiros de España

Relaciona las palabras de la primera columna con las correspondientes definiciones de la segunda. Pero antes deberás completar los verbos que están entre paréntesis. Atención, porque todos ellos deben construirse con el pronombre **se** o **le**(**s**).

peineta	A mucha gente (ENCANTAR) _______ jugar con ellos para divertirse o para ganar dinero.
chupachups	En España (FUMAR) _______ mucho. Y esto está entre las causas del cáncer de pulmón.
traje de luces	(TOCAR) _______ en las fiestas flamencas y también en muchos otros espectáculos.
botijo	A muchas personas (INTERESAR) _______ este objeto no sólo cuando hace calor, sino también para decorar. Es el nombre de este libro.
navaja	Si alguien lleva una de noche y la enseña, la gente (ASUSTAR) _______ mucho.
cigarrillo	A los niños y menos niños (ENCANTAR)_______. Están muy dulces y hay de varios sabores.
guitarra	(DECIR) _______ en muchas ocasiones que algunos inventos como éste han hecho la competencia a los estadios de fútbol.
fregona	En España (FREGAR) _______ los suelos con este objeto, y quedan muy limpios.
abanico	(PONER) _______ en la cabeza. Las mujeres la usan en España en fiestas y ceremonias.
futbolín	(VESTIR) _______ con él sólo los toreros.
naipes	(USAR) _______ cuando hace mucho calor. (LLENAR) _______ de agua para mantenerla fresca.

A continuación podrás leer algunos comentarios que unos estudiantes de español, de nacionalidades muy variadas, han hecho sobre España y los españoles. Pero cuidado, en todas las frases hay un error. Lee los comentarios con atención. Corrígelos y escríbelos bien en el apartado que les corresponda.

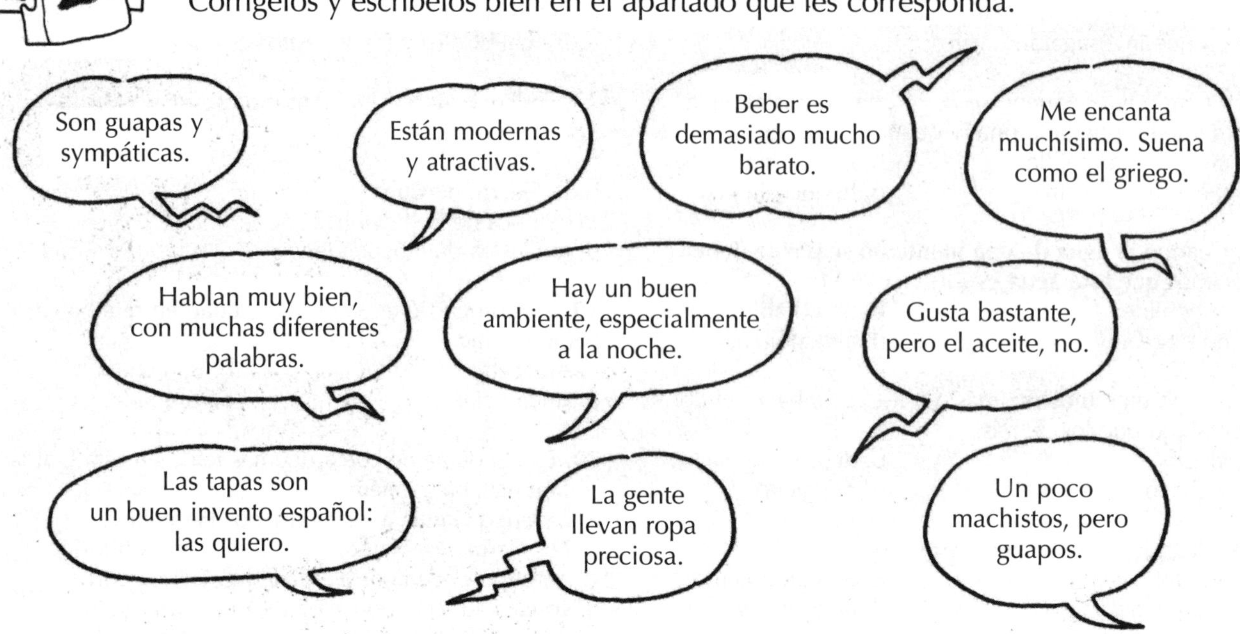

Lee con atención estos comentarios relativos al medio ambiente y coloca el conector que sea necesario. Recuerda lo que has visto en tu libro en las páginas 162 y 163.

1. Muchas poblaciones españolas sufren restricciones de agua __________ no existir reservas ni medidas de prevención.

2. __________ la situación meteorológica ha sido nefasta, este verano continuarán los cortes de agua.

3. La deforestación de la Península Ibérica es alarmante, __________ hay que buscar soluciones urgentes.

4. El desierto sigue ganando terreno __________ la deforestación.

5. En España la cantidad de agua embalsada es mínima. __________, en el resto de Europa, el nivel de abastecimiento es suficiente.

6. __________ la sequía, la cosecha de este año ha sido muy mala.

7. Los campos están muy secos __________ este año no ha llovido prácticamente nada.

8. El ministro de Obras Públicas anunció las nuevas medidas para combatir la sequía. __________ presentó el nuevo plan de carreteras.

9. __________ existe una aparente conciencia general sobre la necesidad de respetar y cuidar el medio ambiente, pero __________ se continúa actuando de manera incivilizada.

10. Muchas especies animales mueren cada año __________ la caza ilegal.

Suspiros de España

A continuación te presentamos varios textos sobre temas relacionados también con el medio ambiente. Pero la información no está bien ordenada, y, además, faltan algunos conectores que has aprendido en esta unidad. Intenta componer cada texto a partir de la frase marcada con una flecha, para que tenga coherencia, y escríbelo completo en tu cuaderno.

1. **EL AGUJERO EN LA CAPA DE OZONO**

– los rayos solares no son filtrados en su totalidad,
– el agujero de la capa de ozono sigue creciendo.
– __________ están apareciendo con más frecuencia casos de cáncer de piel.
➪ Según recientes investigaciones realizadas en la Antártida,
– ____________ estas emisiones,
– ____________, se continúan enviando a la atmósfera grandes cantidades de gases contaminantes.

2. **LA DESERTIZACIÓN**

– que está erosionando gran parte de la superficie terrestre.
➪ Las últimas estadísticas sobre la desertización en el planeta resultan alarmantes.
– Si no se toman soluciones determinantes, el futuro se presenta muy negro,
– La situación de alarma es general en todo el mundo,
– __________ sólo tenemos una Tierra y tenemos que cuidarla entre todos.
– ______ el proceso de desertización es irreversible y muy rápido.
– Muchas zonas de la Península Ibérica también están sometidas al mismo proceso de desertización

3. **EL CAMBIO CLIMÁTICO**

– o incluso no se han ido en invierno.
– muchas aves migratorias han cambiado su destino
– Las consecuencias de esta nueva situación son imprevisibles,
– ______ no disponemos de mucha información
– sino una evidencia.
– __________ las altas temperaturas en algunas zonas,
– y habrá que esperar años hasta comprobar los efectos.
➪ La subida de las temperaturas en el planeta no es un tema de ciencia ficción,

5. Los siguientes textos los han escrito estudiantes de español, como tú, de diferentes nacionalidades. Los textos describen objetos que caracterizan a cada nacionalidad. Léelos y a ver si adivinas qué son.

Katja, de Alemania, describe unas ______________.

- Tú eres alemán, ¿verdad?
- Sí, pero ¿cómo lo sabes?
- ¡Basta mirar tus ______________!

¿Qué lleva esa persona en los pies? Unas ________ que se adaptan a la forma del pie, con plantilla de corcho, tiras de cuero y hebillas para acomodarlas al pie del aficcionado a la moda sana. Las materias naturales como corcho, cuero y caucho hacen reconocer unas ________ alemanas en todo el mundo. Aunque las informaciones más recientes hacen saber que la mirada puede equivocarse: cada día hay más estadounidenses, europeos y hasta españoles que usan esas ________ de procedencia alemana.

Dominique, de Canadá, describe una ______________.

Hecha de madera y de piel, la ________ de nieve sirve para andar con más facilidad durante el invierno canadiense. En efecto, con una ________ atada a cada pie, no te hundes en la nieve. Sobre todo es útil en el bosque: los indígenas de Canadá todavía las utilizan como método de transporte. Para sujetar la ________ al pie hay dos correas. Así te permite mover el pie sin problemas, un poco como el movimiento del pie en el esquí de fondo. Cuando andamos con ________ parecemos patos, porque debemos abrir las piernas un poco para no tropezar.

Aysin, de Turquía, describe un ________________.

Quiero hablar del "lokum". "Lokum" es una palabra sin traducción, en español sería un "turrón". En inglés el nombre es "Turkish delight". Es un ________ que se come mucho en la fiesta religiosa después del mes de "Ramadán". Es una fiesta que tiene un sentido importante de amistad y paz. Y la gente dice "comamos ________, hablemos ________". ¡Hasta que los niños tengan problemas de estómago con tantos ________! Fundamentalmente se hace con azúcar y almidón, lleva frutos secos, coco, cacao, etc. Como es un ________ muy bueno, la palabra "lokum" tiene otro significado, como piropo para las chicas guapas.

Waldemar describe una ________________.

La señal de un Americano típico: una ________ de béisbol. Las ________ siempre se han usado en la sociedad americana, y esta norma se introdujo rápidamente en los equipos de béisbol. Debido a que el béisbol sólo se juega durante el verano y los partidos sólo transcurrían durante la mañana, los jugadores tenían que luchar contra el sol que hacía. Casi cien años después, esta ________ ofrece una posibilidad de identificación a los jóvenes de los Estados Unidos con el equipo al que apoyan. Además, es un instrumento vital para los estudiantes universitarios: esta ________ puede esconder el cabello, que olvidaste peinar por la mañana porque estabas bastante borracho. Creo que con esto te das cuenta de todo su valor.

Aquí tienes un mapa de Europa. Escribe la lengua que se habla en cada uno de los lugares señalados.

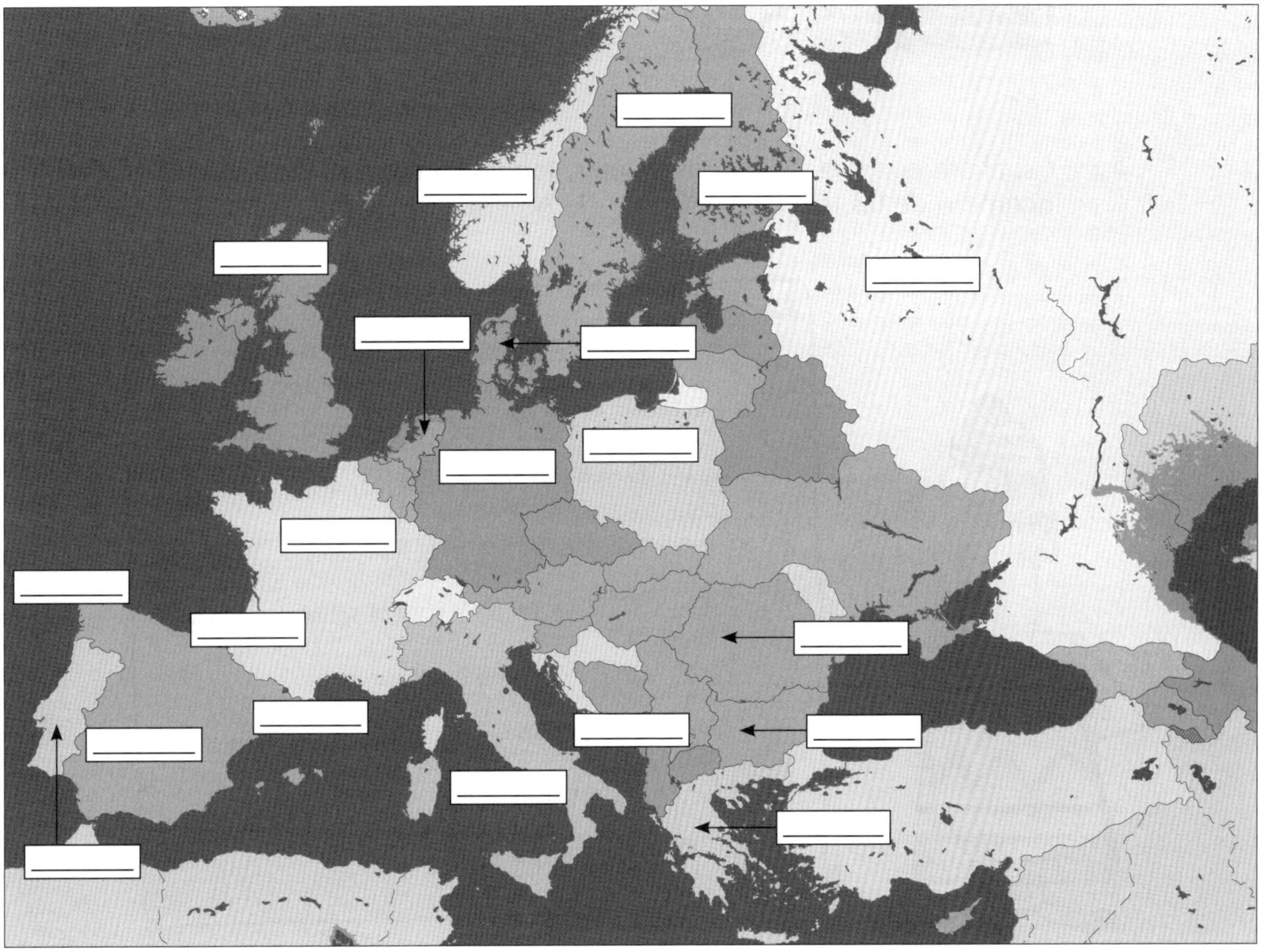

Coloca las vocales correspondientes y tendrás diez palabras españolas que proceden del árabe.

_ L C _ N T _ R _ L L _ S: están debajo de las calles.
_ C _ _ T _ N _ S: se cogen de los olivos.
_ L M _ H _ D _: sirve para apoyar la cabeza.
_ L C _ L D _: preside el Ayuntamiento.
_ L B _ Ñ _ L: construye casas.
_ L G _ D _ N: con él se hace ropa.
_ C _ Q U _ _: conduce el agua en el campo.
_ Z _ C _ R: endulza la vida.
T _ R _ F _: el precio que hay que pagar.
_ J _ L _: siempre va con Subjuntivo.

Y si ahora completas las consonantes, tendrás nueve palabras que el español incorporó de las lenguas indígenas de América:

_ A _ A _ U E _ E: es un fruto seco.
_ _ O _ O _ A _ E: se come y se bebe.
_ I _ U _ Ó _: no te bañes en el mar, si hay uno cerca.
_ A _ Í _ A _: le gusta comerse a la gente viva.
_ A _ I _ U E: tiene poder y control sobre los demás.
_ A _ A _ A: salvó a Europa del hambre.
_ O _ A _ E: indispensable para hacer gazpacho.
_ A Í _: es un cereal.
_ O _ O: es un ave que habla.

¿Recuerdas la historia de Juan Fajardo? Las frases que te presentamos se refieren a este Don Juan moderno. Pero atención, tienen algunos problemas con los "falsos amigos" que has visto en esta unidad en la página 174. Busca la palabra adecuada para cada contexto y escribe la frase correctamente.

1. Juan Fajardo estaba muy **embarazado** por burlarse de aquella manera de sus novias.

____

2. Después de su error, Juan **se realizó** de que no podía continuar de aquella manera.

____

3. Juan siempre tenía mucho **suceso** con las mujeres, pero no las amaba.

____

4. La vida de Don Juan, **actualmente**, era como la de un **conductor** de orquesta que dirige a mujeres para escuchar su música.

____

5. El **tópico** de conversación preferido de Juan era el fútbol y sus aventuras con las mujeres.

____

6. Juan no soportaba las **demostraciones** feministas en la calle sobre la igualdad de las mujeres.

____

7. Juan seducía a sus novias y luego las **quitaba**.

____

8. Después de aquella noche en la discoteca, Juan cogió un constipado horrible y estuvo en la cama con **influencia**.

____

9. Juan estaba tan cansado que se quedó tumbado en la **carpeta**, cerca del **éxito**.

____

10. Después de sus vacaciones en Benidorm Juan actuó de manera más sensata. Las mujeres ya no eran el **sujeto** de sus obsesiones.

____

10

Suspiros de España

A ver si te acuerdas...

1. Para barrer el suelo podemos usar un cepillo, pero si queremos que quede más limpio podemos usar ....
a. un cubo
b. una fregona
c. una peineta
d. un destornillador

2. Los siguientes verbos: **amenazar**, **desafiar** y **provocar**, son sinónimos de ....
a. temer b. retar
c. arrepentirse d. burlarse

3. ¿Cuál de las siguientes frases es la correcta?
a. En España la gente acuesta muy tarde.
b. En España se acuesta muy tarde.
c. En España la gente se acuesta muy tarde.
d. En España acuesta muy tarde.

4. ¿Cuál de las siguientes frases no es lógica?
a. Como el puerto se ha cerrado, la situación atmosférica.
b. El puerto se ha cerrado por la situación atmosférica.
c. A causa de la situación atmosférica, el puerto se ha cerrado.
d. El puerto se ha cerrado debido a la situación atmosférica.

5. Una de las siguientes lenguas no pertenece al grupo latino:
a. el catalán b. el rumano
c. el portugués d. el vasco

6. Los galicismos son palabras que provienen del ....
a. gallego
b. francés
c. gaélico
d. servo-croata

7. Los primeros colonizadores que llegaron a América eran, en su mayoría, ...
a. gallegos
b. vascos
c. andaluces
d. valencianos

8. Sólo una de las siguientes frases expresa lógicamente la acción:
a. No tenía ganas de salir, pues me quedé en casa.
b. No tenía ganas de salir, así que me quedé en casa.
c. Me quedé en casa ya que tenía ganas de salir.
d. Me quedé en casa, de modo que tenía ganas de salir.

9. El mito de Don Juan aparece por primera vez en El Burlador de Sevilla, una obra de teatro del siglo ....
a. XV b. XVI
c. XVII d. XVIII

10. ¿Cuál de las siguientes palabras no es un americanismo?
a. cacahuete b. patata
c. cacique d. acequia

11. En el español de Sudamérica **platicar** significa ....
a. charlar b. preguntar
d. insultar e. cotillear

12. Si decimos **Beatriz está embarazada**, queremos decir que ....
a. va a tener un niño b. está avergonzada
c. está colorada d. va a viajar en barco

13. Nicolás Fernández de Moratín es un autor español del siglo ....
a. XVII b. XVIII
c. XIX d. XX

14. ¿Cómo se llama la ropa que llevan los toreros en la plaza?
a. traje de matar b. traje de oro
c. traje de luces d. traje de cuernos

15. ¿Cuál de las siguientes palabras es de origen árabe?
a. caníbal b. maíz
c. tomate d. arroz

16. ¿Cómo completamos la siguiente frase?: **Lola está muy gorda** .... **comer tanto chocolate**.
a. porque b. por
c. ya que d. como

17. Una de las siguiente oraciones no es correcta:
a. La gente toma mucho aceite.
b. En España se toma mucho aceite.
c. En España toman mucho aceite.
d. La gente se toma mucho aceite.

18. La vida privada de los artistas es uno de los .... preferidos de conversación de Javier.
a. temas b. sujetos
c. tópicos d. materias

19. El ministro anunció nuevas medidas contra la sequía. .... informó del nuevo plan contra el paro.
a. Por un lado b. Asimismo
c. Debido a que d. En cambio

20. El rasgo fundamental que diferencia a los dos grandes superdialectos del español es ....
a. la pronunciación de la -s final
b. la pronunciación de la s- inicial
c. el uso de los posesivos
d. el uso del vocabulario

De colores

Empareja las expresiones de la primera columna con las continuaciones correspondientes de la segunda:

a. Siempre está mirando a las chicas que pasan por la calle y echándoles piropos:

b. He pasado la noche en blanco,

c. Me gustaría que acabaran todos los problemas y

d. Estuvimos celebrando la boda de Lola en un restaurante donde se come muy bien y

e. Es muy vergonzoso: cuando tiene que hablar en público,

f. No creo que el tema del trabajo tenga mucha solución,

g. El otro día en el examen no me acordaba de nada,

h. No soporto tener que hacer los ejercicios del libro,

i. Ayer estuvieron hablando en la tele del ministro que han juzgado y

j. Esta semana no puedo tomarme ni una cerveza. Hasta que no me paguen,

1. se pone colorado.
2. me pone negro.
3. ver las cosas de color de rosa.
4. es un viejo verde.
5. nos pusimos morados.
6. estoy sin blanca.
7. lo pusieron verde.
8. me quedé en blanco.
9. lo veo muy negro.
10. no he podido dormir nada.

Esto es un concurso. Vamos a ver cuántas palabras conocéis que se relacionen con cada uno de los colores. Por ejemplo, **un tomate es rojo**, **el mar azul**... Seguro que sabéis muchas más. Usad la imaginación (y el diccionario, si lo necesitáis).

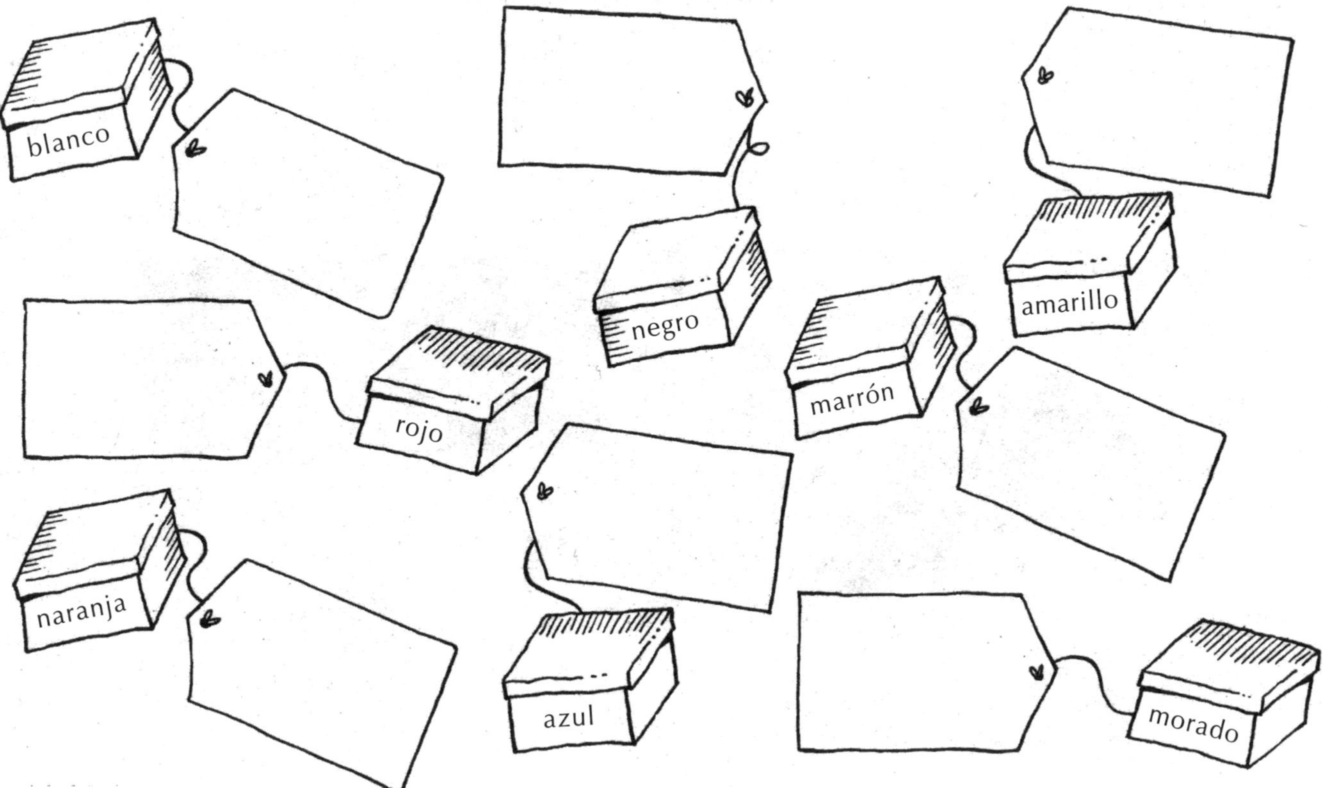

De colores

Completa las definiciones de estas palabras:

1. Las personas que saben esperar una hora en la puerta de un cine tienen una gran _ a _ _ _ _ _ _ a.
2. Lo contrario de la rapidez es la _ _ _ t _ _ _ d.
3. Lo contrario de la suciedad es la l _ _ _ _ _ z _.
4. Cuando estás a punto de perder la cabeza, estás al borde de la l _ _ _ r _.
5. La suavidad y la b _ _ _ c _ _ _ son dos cualidades de unas sábanas muy limpias.
6. En algunas personas mayores, la v _ _ _ z no siempre es sinónimo de m _ _ _ _ _ z.
7. En algunas personas jóvenes, su _ _ v _ _ _ _ d no significa _ _ _ a _ _ _ _ z.
8. En nuestro mundo, cada vez hay más distancia entre la r _ _ _ _ _ a y la p _ _ _ _ _ a.
9. Lo contrario de la ignorancia es la _ a _ _ _ _ r _ _.
10. En muchos cuartos de baño públicos es normal que haya problemas de _ u _ _ _ _ a _.

Intenta clasificar las siguientes palabras relacionándolas con cada ilustración. Imagina asociaciones lógicas o impresiones que a ti te producen estos dibujos. Usa los adjetivos de abajo y transfórmalos en sus sustantivos correspondientes, como en el ejemplo:

	violento	potente		valiente	amargo
sucio	húmedo	frío	tranquilo	cruel	tierno
	fresco	dulce	inteligente		bello
limpio	delicado	triste	sabio	claro	puro

violento ——> *violencia*

_______ ——> _______

______ —> ______ ______ —> ______

______ —> ______ ______ —> ______

Vamos a tratar de interpretar cómo somos a través de nuestra percepción de los colores. ¿Qué color prefieres? Colócalos por orden de preferencia:

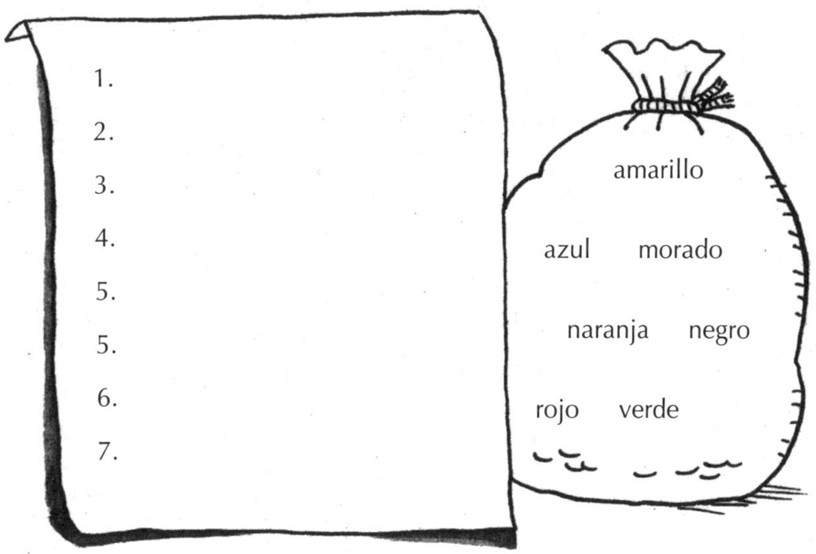

De colores

Y ahora haremos la interpretación de tu personalidad según los colores que has elegido. Puedes hacerlo tú mismo, o más divertido aún: cambia el libro con tu compañero e interpreta su personalidad. Toma notas y, después, explícale tus conclusiones, pero no copies el texto, interprétalo.

AZUL

Elegir este color en las primeras posiciones indica que se posee un mundo interior lleno de sensibilidad. Este color normalmente expresa paz, serenidad, sinceridad y tranquilidad, pero también puede representar inmadurez y falta de criterio autónomo. Suele ser propio de mentalidades puras que odian la hipocresía y la mentira. Si se elige en las últimas posiciones, 6 y 7, puede significar desconfianza hacia el mundo y la gente, o bien falsedad y antipatía.

NARANJA

Si le gusta este color sobre todos los demás, es una persona fuerte, generosa y dinámica, pero muy intranquila, que prefiere cualquier actividad física o intelectual antes que la pasividad o el aburrimiento. Puede indicar en las primeras posiciones una personalidad un tanto orgullosa o arrogante, incluso imprudente e impaciente, y que se acerca a la locura. Si lo ha elegido en las últimas posiciones, quizá sea una persona que vive en un mundo donde la tristeza y la soledad son lo más importante. También en los últimos lugares puede indicar que es una persona un poco vaga y tacaña.

ROJO

Sin duda, las personas que prefieren el rojo son personas seguras de sí mismas, con un alto grado de autoconfianza. Indica, también, inquietud hacia el mundo y valentía en las nuevas experiencias, aunque en exceso representa arrogancia, soberbia y hasta violencia. En las últimas posiciones revela un alto grado de cobardía, incluso crueldad y una excesiva timidez. En las posiciones centrales expresa un equilibrio entre los dos extremos, que suele ser lo común.

MORADO

Si ha puesto este color en los primeros lugares, es una persona idealista y espiritual. También, a veces, superficial e ingenua, incluso infantil y un poco inmadura. Las personas que eligen este color suelen ser tiernas, sencillas y amables, pero un poco débiles. Un carácter serio, profundo y maduro, habrá puesto este color en los últimos lugares. En los lugares centrales se puede decir que hay una lucha interna entre estas dos tendencias: representa inseguridad en las posiciones del 3 al 5.

AMARILLO

Si lo ha elegido en la primera posición, además de representar la sabiduría, la inteligencia y la capacidad de trabajo, es una persona creativa e imaginativa. En la segunda o tercera posición también puede ser síntoma de egoísmo, de envidia y de sentimientos antisociales. En las últimas posiciones puede significar cierto estado de amargura, soledad y oscuridad, así como inestabilidad. En las posiciones centrales es bastante ambigua su interpretación.

VERDE

Se refiere normalmente a personalidades individualistas e independientes. Quienes prefieren este color antes que los demás son personas triunfadoras y diplomáticas, aunque también puede esconder cierta falta de delicadeza hacia la gente, incluso falsedad. Si este color aparece en las últimas posiciones, puede significar que esta persona tiene un concepto muy especial de la amabilidad, no se abre a los demás del todo, o bien, pobreza de comunicación. En los lugares centrales representa una moderación de ánimo o conflicto entre confianza hacia el exterior (del 3 al 5), y desconfianza hacia el exterior (6 y 7).

NEGRO

Si alguien ha escogido este color en las primeras posiciones, es, sin duda, una persona madura, sobria y recta, que confía mucho en su seguridad personal. Sin embargo, también son personas a las que les falta frescura y espontaneidad. Son prudentes, pero no tienen fantasía. Prefieren el poder y el ascenso social antes que la alegría y la inquietud de la juventud. En las últimas posiciones, normalmente, se relaciona con la ausencia de complicaciones y la necesidad de claridad de ideas. Si está junto al amarillo, en cualquier posición, es propio de personalidades intranquilas y cambiantes o, también, tímidas y humildes.

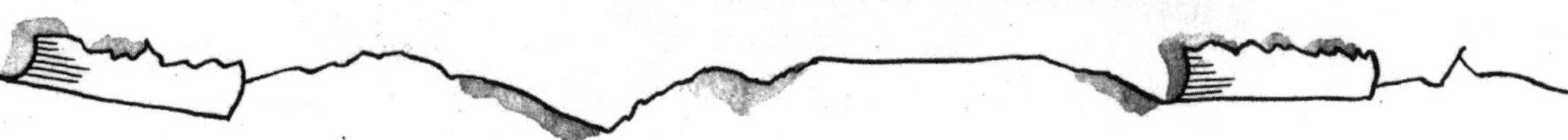

Elige la opinión más apropiada para cada uno de estos comentarios, que hacen unas personas que han ido a ver diferentes películas:

1. Fui a ver Casablanca y no me gustó nada. Es muy lenta..., muy... No sé..., como todas, aburrida... ______________________.

un peliculón **horrible**
un muermo **ni fu ni fa**
preciosa **una tontería**

2. ¿Que qué me parece La Dolce Vita? Pues genial, una maravilla, una obra de arte... ______________________.

3. No vayas a ver Tiburón III, es ______________ , la peor película que he visto en mi vida.

4. ¿Blanca Nieves y los Siete Enanitos? Me encanta, es ______________________ , una película bonita de verdad.

5. A mí las películas de miedo no me interesan demasiado. Esta versión de Frankenstein no está mal, pero a mí..., no sé..., me da igual..., no está mal... Pero tampoco es nada del otro mundo, ______________________.

6. No sé cómo hacen películas como ésta. Es siempre igual: el bueno mata al malo y la actriz guapa y tonta se enamora de él. Las películas americanas comerciales para mí son ______________________.

7.

Seguramente has visto muchas películas de estilos muy diferentes. Algunas te habrán gustado más que otras. ¿Por qué no escribes el título en español de películas que conozcas con las siguientes características? Si no sabes el título en español, tradúcelo.

- Una de risa: ______________________.
- Una genial, tu preferida: ______________________.
- Una de miedo: ______________________.
- Una que sea un rollo: ______________________.
- Otra que sea insoportable: ______________________.
- Una de amor: ______________________.
- Una pesada: ______________________.
- Una de ciencia ficción: ______________________.
- Una pasable: ______________________.
- Una de vaqueros: ______________________.

Lee con atención esta crítica escrita sobre la película Como agua para chocolate y el comentario oral que alguien ha hecho sobre ella. Después, intenta completar las correspondencias entre cada uno de los textos.

CRÍTICA

En la adaptación al cine de obras literarias, la libertad creadora del director se ve muy condicionada y la posibilidad de fracaso es alta. El riesgo es mayor cuando tal versión cinematográfica se hace de obras de reconocido prestigio y autores consagrados. En muy pocas ocasiones la obra fílmica adquiere autonomía por encima del texto literario en que se basa.

No obstante, en la mayoría de las ocasiones, los directores no alcanzan a resolver los problemas que surgen de la adaptación. O dependen en exceso del original, o se alejan demasiado de él y pierden la esencia de la novela. Para no apartarnos de obras y autores hispanoamericanos, es el caso de otro best seller, Crónica de una muerte anunciada de García Márquez, llevada a la pantalla por Francesco Rosi, quien pierde la esencia de la novela en su afán de adaptarla a la lógica del medio cinematográfico.

No es tal el caso de la película de Alfonso Arau Como agua para chocolate, una adaptación de la obra del mismo nombre de la escritora mexicana Laura Esquivel, que acaba siendo un fiel reflejo de la novela pero sin sacrificar por ello su verosimilitud cinematográfica. El mérito no es tanto del director como de la propia estructura de la novela -el guión- cuya linealidad consigue salvar con facilidad las dificultades de narración, de perspectiva y de caracterización de los personajes.

Como agua para chocolate cuenta la historia de Tita y de su imposible amor por Pedro. Una tradición inflexible la condena, por ser la hija menor, a permanecer soltera al cuidado de su madre hasta que ésta muera. Pedro, para estar cerca de ella, se casa con su hermana. La sensualidad de su pasión se manifiesta a través de las recetas que Tita prepara y es el marco de los sabores, olores y colorido de los platos el que da coherencia a toda la narración. Arau ha sabido captar en imágenes esta llamada a sentidos tan poco visualizables, como el olfato o el gusto, y también ha sabido encontrar una actriz que encarne bien un personaje tan rico como Tita.

Una película correcta y amable que nunca llega a ser magistral, aunque hay que destacar su buena intención en imágenes y detalles cuidados. La fotografía es excelente, sin efectismo en las escenas fantásticas. El mayor defecto es que el ritmo se hace en exceso lento, aunque no llega a ser insoportable para el espectador. Quizá aquí Arau ha estado demasiado cerca de la obra literaria, pero podemos perdonárselo: en conjunto resulta una bonita película basada en un buen libro.

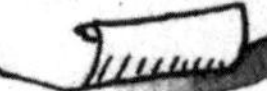

COMENTARIO

El libro es igual, igual que la película, que normalmente si el libro es bueno, la película está peor. Yo vi La casa de los espíritus de Isabel Allende, que se parece un poco a ésta en la forma de escribir y los temas y eso, y no tiene comparación, la novela está muchísimo mejor. Pero ésta no, es que apenas hay diferencia. La historia es en México, cuando la revolución mexicana, y va sobre una mujer que no se puede casar con un novio que tenía, porque había una tradición de que la hija menor no se casara, y cuidara a la madre hasta que se muriera. El novio se casa con la hermana, y al final..., bueno, no te lo cuento por si vas a verla. Pero merece la pena. No es que sea nada del otro mundo, pero está bien. La historia es bonita, y muy curiosa porque relacionan todo lo que pasa con recetas de cocina. La protagonista cocina muy bien, unas cosas increíbles, no sé qué en salsa de pétalos de rosa y cosas así; el caso es que según el estado de ánimo que ella tiene cuando hace esa receta, las personas que se lo comen reaccionan igual y lloran como magdalenas, o se ponen de lo más apasionado y empieza a entrarles a todos unos calores... Es gracioso. Yo pasé un buen rato. A mucha gente al final se le hizo un poco pesada, porque es lenta, pero a mí no.
No te la pierdas, vale la pena.

TEXTO ESCRITO	TEXTO ORAL
– el ritmo se hace en exceso lento, aunque no llega a ser insoportable para el espectador	– ______________________
– ______________________	– el libro es igual, igual que la película
– cuenta la historia de...	– ______________________
– ______________________	– Merece la pena. No te la pierdas. Vale la pena.
– Una película correcta y amable que nunca llega a ser magistral	– ______________________

Encuesta

La prestigiosa empresa BUTACA & MASTER, dedicada a las investigaciones sociológicas, ha hecho público un cuestionario para determinar las características típicas del espectador cinematográfico. Rellena este cuestionario y sabrás qué tipo de espectador eres. Los autores del libro no nos responsabilizamos de las opiniones expresadas por los diseñadores de la encuesta. Si queréis, podéis hacer la encuesta a otro compañero y, después, explicarle los resultados que tienes al final. Así es más divertido.

SEÑALE SOLAMENTE UNA DE LAS CUATRO OPCIONES POSIBLES

1. Cuando entra en una sala de cine se sienta:
- a. en las primeras filas.
- b. en las últimas filas.
- c. en el centro.
- d. siempre a la derecha.

2. Sus películas preferidas son:
- a. de terror.
- b. comedias.
- c. de ciencia ficción.
- d. musicales.

3. ¿Cuál de estas es su actriz preferida?
- a. Greta Garbo.
- b. Julie Andrews.
- c. Sofía Loren.
- d. Brigitte Bardot.

4. ¿Cuál de estos es su actor preferido?
- a. Montgomery Cliff.
- b. Charles Chaplin.
- c. Robert de Niro.
- d. Paul Newman.

5. Prefiere las películas:
- a. en versión original.
- b. subtituladas.
- c. mudas.
- d. dobladas.

6. ¿Qué le impresiona más de una gran super producción?
- a. el vestuario.
- b. la ambientación.
- c. el guión.
- d. el maquillaje.

7. Si tuviera que elegir la banda sonora para una película de amor, eligiría:
- a. música de Chopin.
- b. música de Bach.
- c. flamenco.
- d. ópera.

8. ¿Quién cree que es más importante en una película?
- a. el director.
- b. los actores.
- c. el guionista.
- d. el cámara.

9. Cuando va al cine suele tomar:
- a. nada.
- b. chicles y caramelos.
- c. palomitas.
- d. chicles, palomitas, caramelos, bebidas..., ¡de todo!

10. ¿Qué le molesta más cuando está viendo una película?
- a. que la gente haga comentarios.
- b. que entre y salga gente.
- c. que no se oiga bien.
- d. nada.

R E S U L T A D O S

Y ahora, si quieres saber los resultados, suma las respuestas. La puntuación es:

A= 15 PUNTOS B= 10 PUNTOS
C= 5 PUNTOS D= 0 PUNTOS

¡Atención! Los sustantivos abstractos no están escritos, complétalos a partir de su adjetivo correspondiente.

De 120 a 150 puntos:

usted es un estupendo espectador de cine. Conoce muy bien el séptimo arte. Tiene (SABIO) __________, (SENSIBLE) __________ y buen gusto para valorar la calidad cinematográfica. Evidentemente, ha visto mucho cine y no se deja engañar por falsas opiniones. Podría ser un gran crítico, guionista, actor o actriz. Gente como usted hace que tenga sentido hacer películas. Enhorabuena.

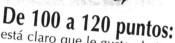

De 100 a 120 puntos:

está claro que le gusta el cine y que está muy interesado. Se impresiona fácilmente por imágenes sugerentes e impactantes. Disfruta mucho yendo al cine, pero realmente le gusta más el espectáculo que la obra de arte. Según los resultados no ha visto aún las grandes obras maestras de la cinematografía. Sus opiniones expresan (SINCERO) __________, pero seguramente mejoraría su gusto si tuviera más (VALIENTE) __________. Ánimo.

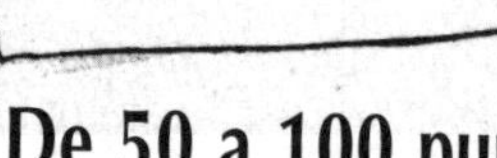

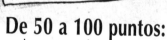

De 50 a 100 puntos:

realmente su desconocimiento sobre el cine es impresionante. Las películas que ha visto no las ha comprendido en su totalidad. Se deja fascinar por aspectos externos y superficiales y no valora con precisión la técnica ciematográfica. La (POBRE) __________ de sus opiniones es obvia. Le recomendamos que empiece viendo los clásicos hasta llegar a los autores actuales. Todavía tiene solución. Le falta (MADURO) __________ crítica.

De 0 a 50 puntos:

¿en qué planeta vive usted? ¿Cree que ver una película es lo mismo que tomarse una cerveza? No tiene opinión propia sobre nada. Repite los estereotipos que ha escuchado porque no tiene ninguna personalidad crítica. Seguro que sólo ve películas de serie B y que, incluso, disfruta. Es una vergüenza. Confunde una película de vaqueros con una de romanos. Sentimos mucho hablar con tanta (CRUEL) __________, pero su (ESTÚPIDO) __________ es impresionante.

A ver si te acuerdas...

1. Las entradas del cine se sacan en ....
a. la puerta b. la barra
c. la taquilla d. la pantalla

2. Cuando no has dormido nada, puedes decir que has pasado la noche ....
a. en blanco y negro b. en blanco
d. de gatos c. sin blanca

3. Si decimos que alguien va **de punta en blanco**, queremos decir que ....
a. va bien vestido b. va borracho
c. tiene hambre d. tiene prisa

4. Con el adjetivo **triste** podemos formar el correspondiente sustantivo, que es ....
a. tristez b. tristeza
c. tristud d. tristedad

5. ¿Cuál es el sustantivo opuesto a **pobreza**?
a. ricura b. ricancia
c. riquedad d. riqueza

6. ¿Qué pintor español realizó muchas de sus obras en la época de la ocupación napoleónica?
a. Velázquez b. El Greco
c. Goya d. Fortuny

7. Velázquez pintó un cuadro que está en el Museo del Prado, en Madrid, y que se llama ....
a. Las Niñas b. Las Hijas del Rey
c. Las Infantas d. Las Meninas

8. ¿Cómo podemos denominar a una película **aburrida**, **lenta**...?
a. un largometraje b. un muermo
c. ni fulano ni mengano d. alucinante

9. ¿Cómo se denomina la historia escrita en la que se basa una película?
a. guión b. folleto
c. novela d. serial

10. Cuando decimos que una película **engancha**, queremos decir que ....
a. aburre b. es lenta
c. dura mucho d. entretiene

11. Cuando **alguien ha comido mucho**, podemos decir que ....
a. ha puesto morado b. se ha puesto morado
c. le ha puesto verde d. se ha puesto verde

12. En un manicomio hay personas por cuestiones relacionadas con la ....
a. velocidad b. locura
c. pobreza d. limpieza

13. ¿Cómo podemos hablar de una película que nos gusta mucho y que nos parece muy buena?
a. Es ni fu ni fa. b. Está pasable.
c. Es un peliculón. d. Es un coñazo.

14. ¿Cómo podemos decir de manera oral que alguna escena de una película es muy cómica?
a. Engancha. b. Te partes de risa.
c. Se pone el vello de punta. d. Te toca la gracia.

15. La palabra **cámara**, tiene género ....
a. masculino b. femenino
c. masculino y femenino d. neutro

16. Octavio Paz es un famoso escritor ....
a. español b. chileno
c. mexicano d. argentino

17. ¿Cómo se llama exactamente la famosa película de Pedro Almodóvar?
a. Mujeres que bordan una ataque nervioso
b. Mujeres al bordar un ataque de nervioso
c. Mujeres en el borde de un ataque nervioso
d. Mujeres al borde de un ataque de nervios

18. Al comentar una película, podemos empezar diciendo:
a. Intenta de una chica... b. Trata de una chica...
c. Propone de una chica... d. Relaciona de una chica...

19. ¿En qué película de las siguientes se cuidó más que en ninguna el maquillaje?
a. Frankenstein b. Casablanca
c. Blancanieves y los Siete Enanitos d. Carmen

20. Si una película no tiene éxito porque nadie va a verla, es ....
a. un suceso b. un éxito
c. un fracaso d. una derrota

Completa los espacios en blanco usando la forma verbal correspondiente. Fíjate bien en el contexto y en qué se quiere decir en cada caso:

1. • ¿Por qué no vienes con nosotros mañana?
   ○ Si (yo, PODER) ________ , (yo, IR) _________ , pero tengo que quedarme en casa.
2. • Oye, Lola, si (VENIR) _______ José Luis, dile que me llame.
   ○ Bueno, si lo (VER) _______, se lo (DECIR)________ .
3. • ¿Nunca has estado en Toledo? ¡Es increíble!
   ○ Si (TENER) ________ tiempo, (IR) ________. Tengo muchas ganas.
4. • ¿Vamos mañana a la playa?
   ○ Vale. Si no (LLOVER) _________ , (nosotros, SALIR) _________ a las diez.
5. • No sé si tomarme un café o una manzanilla.
   ○ Yo, si (SER) _______ tú, me (TOMAR) ________ una manzanilla, estás muy nervioso.
6. • Yo, si me (TOCAR) __________ la lotería, me (COMPRAR) ___________ una moto.
7. • ¿Qué (tú, ELEGIR)________ si (tú, PODER)_________ pedir tres deseos a un genio?
8. • ¿Qué (tú, HACER)_________ si alguien te (REGALAR) ________flores por la calle?
9. • Si (LLAMAR) _________ Mercedes, le (tú, DECIR)_______ que vendré a las cuatro.
10. • Mucha gente (HACER) ________ más deporte, si (HABER) ________ más instalaciones.

Y ahora, vamos a ver qué tal andas de memoria, sin mirar el ejercicio anterior, completa los espacios en blanco usando la forma verbal correspondiente:

1. • ¿Por qué no vienes con nosotros mañana?
   ○ Si ________ ,_________ , pero tengo que quedarme en casa.
2. • Oye, Lola, si ves a José Luis, dile que me llame.
   ○ Bueno, si lo _______, se lo ________ .
3. • ¿Nunca has estado en Toledo? ¡Es increíble!
   ○ Si ________ tiempo, ________. Tengo muchas ganas.
4. • ¿Vamos mañana a la playa?
   ○ Vale. Si no _________ , _________ a las diez.
5. • No sé si tomarme un café o una manzanilla.
   ○ Yo, si _______ tú, me ________ una manzanilla, estás muy nervioso.
6. • Yo, si me _________ la lotería, me ___________ una moto.
7. • ¿Tú qué ________ si ________ pedir tres deseos a un genio?
8. • ¿Qué _________ si alguien te ___________ flores por la calle?
9. • Si _________ Mercedes, le ______ que vendré a las cuatro.
10. • Mucha gente ________ más deporte, si ________ más instalaciones.

Completa las frases con toda la sinceridad que puedas..., o que quieras:

1- Sólo renunciaría a mi nacionalidad si ______

2- Sólo bailaría flamenco si ______

3- Sólo engañaría a mi pareja si ______

4- Sólo entraría en una orden religiosa si ______

5- Sólo robaría a alguien si ______

6- Si se fuera la luz en un ascensor, ______

7- Si fuera el presidente de mi país, aunque sólo fuera por un día, ______

______

8- Si encontrase un millón de euros en el asiento de un taxi, ______

9- Si se me cayese la chaqueta por la barandilla del Empire State, ______

10- Si el Papa me invitase a cenar, ______

Ahora haz lo mismo que en el ejercicio anterior, pero pensando en la primera parte de la frase. Busca una idea adecuada a cada contexto.

1- ______, me pondría colorado.

2- ______, llamaría a un exorcista.

3- ______, me excitaría mucho.

4- ______, consultaría a un parapsicólogo.

5- ______, me echaría a reír.

6- ______, le daría un beso.

7- ______, no abriría.

8- ______, lo escondería.

9- ______, me operaría sin pensarlo.

10- ______, se la cogería amablemente.

Transforma la frase como en el ejemplo (puedes consultar la páginas 196 y 200 del Libro del Alumno):

1. Un iluso diría: "Cuando sea millonario, viviré en las Bahamas".
   Un realista diría: *"Si fuera millonario, viviría en las Bahamas".*

2. Un realista diría: "Si hubiera paz en el mundo, habría justicia".
   Un optimista diría:

3. Un hipocondriaco diría: "Estoy mejor, pero cuando me suba otra vez la fiebre, me voy al hospital".
   Un realista diría:

4. Un realista diría: "Cuando me muera, enterradme en mi pueblo".
   Un ingenuo diría:

5. Un realista diría: "Si me tocara la lotería, me compraba un Jaguar".
   Un optimista diría:

4.

En las siguientes imágenes tienes el resumen de los acontecimientos más importantes que cambiaron la existencia de Plácido Lozano. Escribe, como en el ejemplo, qué habría sido de su vida si no....

Si Plácido no hubiera nacido un martes y trece, habría tenido más suerte en la vida.

Explica el contexto de los siguientes mensajes telefónicos, considerando el momento en que se realiza la acción y la probabilidad de cumplirse o no, como en el ejemplo:

1. LOLA: "Mira Rosa, si a las diez llamara Pablo, iríamos a la fiesta".

Todavía es probable que llame Pablo, pero no es seguro. En el caso de que llamara, Lola y Pablo sí irían a la fiesta.

2. JAVIER: "Mercedes, si hubiera terminado el libro esta tarde, te lo llevaría a las siete".
3. CARMEN: "Francisco, si hubieras llamado a las doce, te habría dado la dirección".
4. ANA: "Miguel, cuando llegue Lola esta noche, que me llame, necesito que me deje unos pantalones".
5. MIGUEL: "Ana, si hubieras venido antes de las cuatro, podrías haber hablado con Lola".
6. LOLA: "Ana, si vienes a las diez, te explico dónde están los pantalones".
7. JOSÉ: "Francisco, si encuentras a mi gato, cuídamelo unos días".
8. JOSÉ: "Francisco, si hubiera sabido que eres alérgico a los animales, no te habría dicho lo del gato".
9. JAVIER: "Guada, cuando veas a Gracia al mediodía, dile que me llame".

La empresa ABANICO, S.A. está seleccionando a las personas más atrevidas, más aventureras, más optimistas y más activas para realizar un viaje alrededor del mundo. Aquí tienes este cuestionario que puedes rellenar tú mismo justificando tu respuesta: ¡no vale responder sólo sí o no!
También puedes hacerle las preguntas a otro compañero. Quizá sean pocas preguntas, tú mismo puedes inventar otras más. Ánimo.

1 ¿En qué situación vomitarías?

2 Si perdieras el avión en París y tuvieras que llegar a Moscú en menos de diez horas, ¿que harías?

3 ¿Subirías al Everest en burro?

4 ¿Qué personaje de aventuras te hubiera gustado ser?

5 ¿Trabajarías en un cementerio?

6 Si fueras un animal salvaje, ¿que animal serías?

7

8

9

10

11

12

A continuación intentaremos contextualizar algunos refranes estudiados en esta unidad, analizando posibles situaciones en los que se podrían usar. Fíjate bien en el ejemplo y completa tú el resto.

SITUACIÓN GENERAL:
Hablando del rey de Roma, por la puerta asoma.

SITUACIÓN CONCRETA:
Lola y Javier están en un bar hablando de Rosa, y justo en ese momento aparece Rosa.

DIÁLOGO:
JAVIER- Pues a mí me gusta mucho cómo viste Rosa.
LOLA- A mí también. Es muy original...
JAVIER- Y lo mejor es que no presume..., ni se cree la mejor..., ni nada de eso...
LOLA- Ya..., es que en el fondo es muy sencilla... ¡Anda! Mira...
Hablando del rey de Roma...
ROSA- ¡Hola! ¿Qué hacéis aquí? (...)

1- SITUACIÓN GENERAL:

SITUACIÓN CONCRETA:

DIÁLOGO:
CARLOS- No vuelvo a regalarle a Carmen más libros...
JOSÉ LUIS- ¿Por qué? ¿No le gustan...?
CARLOS- No sé..., el otro día le llevé para su cumpleaños una novela increíble, preciosa... Me preguntó antes de abrirlo que qué era. Pues un libro, le dije..., y ni lo abrió. Lo dejó encima de la mesa y todavía está allí.
JOSÉ LUIS- Mira, ________________________. Ya sabes cómo es, para ella un libro es un objeto extraño.

2- SITUACIÓN GENERAL: A río revuelto, ganancia de pescadores.
SITUACIÓN CONCRETA: José Plácido y Emilio, compañeros de trabajo en una oficina de seguros, comentan los últimos despidos de compañeros.
DIÁLOGO:

3- SITUACIÓN GENERAL:

SITUACIÓN CONCRETA: Vanesa ha empezado a salir con Mario. Los dos son empleados de un restaurante, con la diferencia de que Mario es el sobrino del jefe y no trabaja en la cocina. Vanesa, desde que sale con Mario, está en la caja. Antes estaba en la cocina fregando. Dos ex-amigas suyas comentan la situación.
DIÁLOGO:

4- SITUACIÓN GENERAL: Cuando las barbas de tu vecino veas cortar, pon las tuyas a remojar.
SITUACIÓN CONCRETA:

DIÁLOGO:

5- SITUACIÓN GENERAL:

SITUACIÓN CONCRETA:

DIÁLOGO:
BEATRIZ- A mí me cae fatal la Ministra nueva de Cultura.
MERCEDES- Ya..., es un poco tonta... Pero peor era el de antes... Ésta no lo hace tan mal.
BEATRIZ- Dicen que la van a cambiar... A ver si es verdad...
MERCEDES- ¿Y a quién van a poner?
BEATRIZ- Pues por lo visto al escritor este... ¿Cómo se llama?
MERCEDES- ______________________________ Mejor que no la cambien.

6- SITUACIÓN GENERAL: Cuando el río suena, agua lleva.
SITUACIÓN CONCRETA: Aurora y Guada hablan de que Lola quiere tener un niño. Se basan en comentarios de las amigas.
DIÁLOGO:

7- SITUACIÓN GENERAL:

SITUACIÓN CONCRETA: Andrés le advierte a su hijo que no vuelva a llegar a las doce de la noche. Si lo vuelve a hacer, no saldrá durante dos semanas.
DIÁLOGO:

8. Las siguientes personas han cometido diferentes delitos. No son muy graves, pero tenemos que juzgarlas. Tú puedes hacer el papel de juez y escribir la sentencia siguiendo los modelos que te presentamos. Debes decidir cuál es la mejor solución para que el acusado no vuelva a repetir su falta. Aquí tienes un ejemplo de una sentencia. Recuerda que, aparte de **aunque**, puedes usar las formas que hemos visto en esta unidad en la página 209.

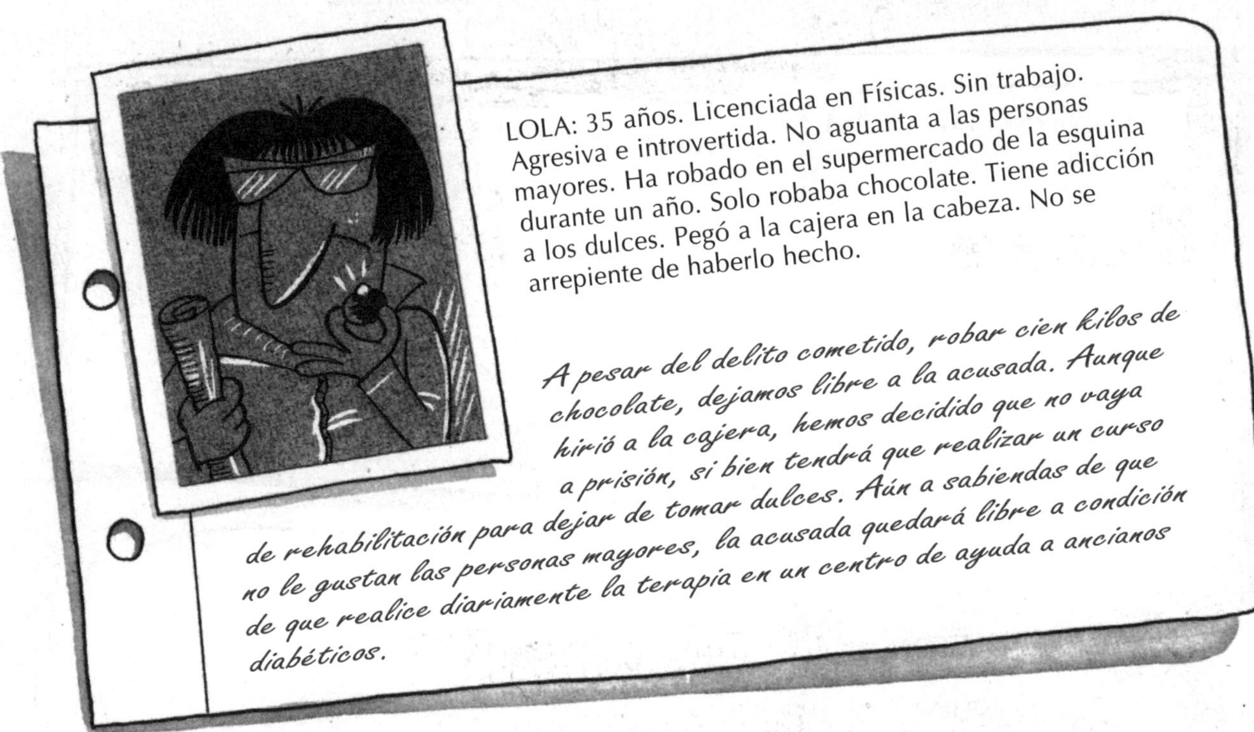

LOLA: 35 años. Licenciada en Físicas. Sin trabajo. Agresiva e introvertida. No aguanta a las personas mayores. Ha robado en el supermercado de la esquina durante un año. Solo robaba chocolate. Tiene adicción a los dulces. Pegó a la cajera en la cabeza. No se arrepiente de haberlo hecho.

A pesar del delito cometido, robar cien kilos de chocolate, dejamos libre a la acusada. Aunque hirió a la cajera, hemos decidido que no vaya a prisión, si bien tendrá que realizar un curso de rehabilitación para dejar de tomar dulces. Aún a sabiendas de que no le gustan las personas mayores, la acusada quedará libre a condición de que realice diariamente la terapia en un centro de ayuda a ancianos diabéticos.

AURORA: 50 años. Soltera. Millonaria aburrida. Carácter extravagante. Ha atracado un banco para llevarse los ceniceros. Colecciona objetos extraños. Rompió los cristales y causó daños por valor de 2000 euros. Insultó a los policías que la detuvieron. No le gustan los niños.

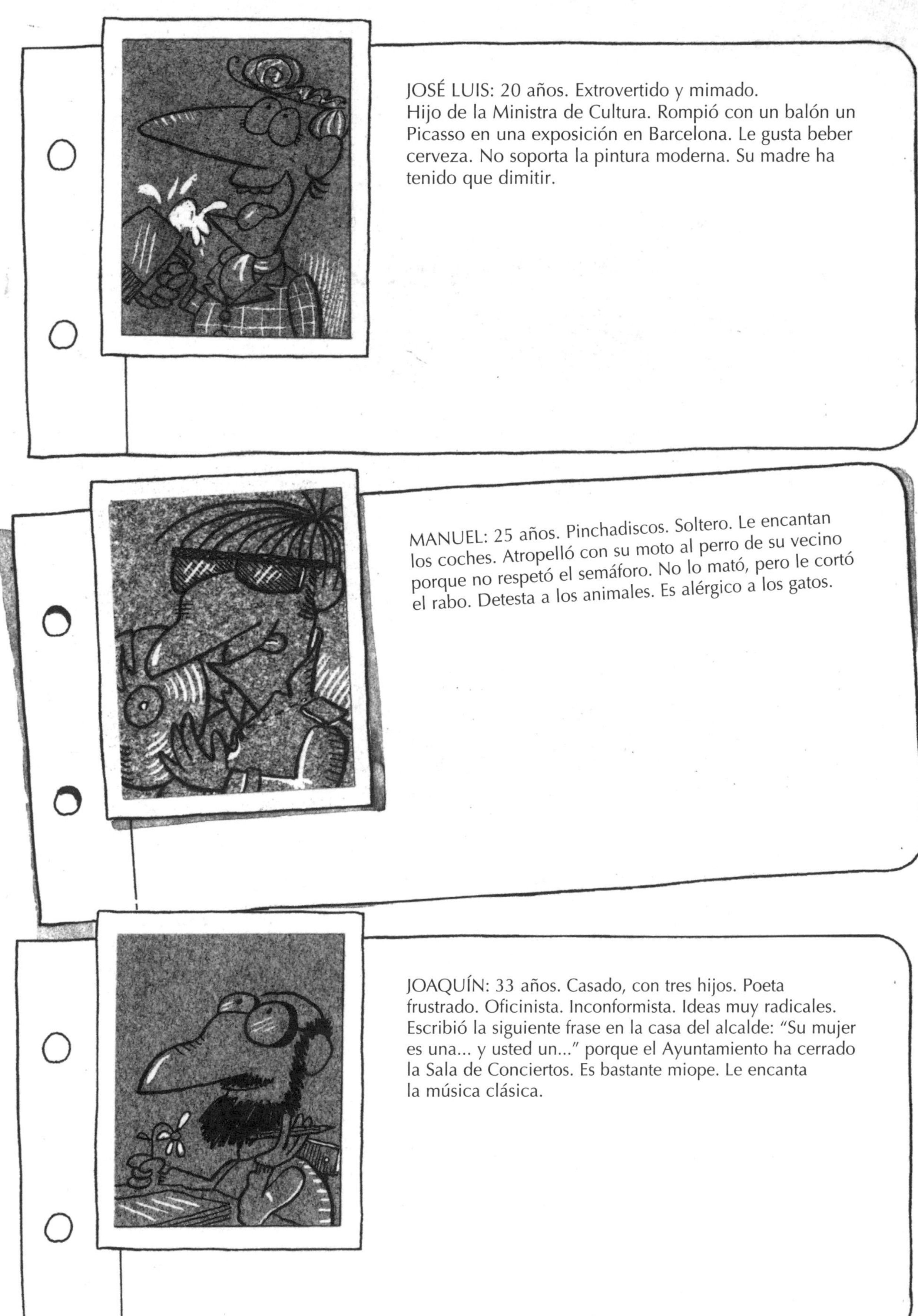

JOSÉ LUIS: 20 años. Extrovertido y mimado. Hijo de la Ministra de Cultura. Rompió con un balón un Picasso en una exposición en Barcelona. Le gusta beber cerveza. No soporta la pintura moderna. Su madre ha tenido que dimitir.

MANUEL: 25 años. Pinchadiscos. Soltero. Le encantan los coches. Atropelló con su moto al perro de su vecino porque no respetó el semáforo. No lo mató, pero le cortó el rabo. Detesta a los animales. Es alérgico a los gatos.

JOAQUÍN: 33 años. Casado, con tres hijos. Poeta frustrado. Oficinista. Inconformista. Ideas muy radicales. Escribió la siguiente frase en la casa del alcalde: "Su mujer es una... y usted un..." porque el Ayuntamiento ha cerrado la Sala de Conciertos. Es bastante miope. Le encanta la música clásica.

12 Si tú me dices ven

A ver si te acuerdas...

1. Si te pica la nariz, es que .... hablando mal de ti.
a. estar b. estaban
c. estarían d. están

2. Para tener buena suerte, hay que tocar ....
a. selva b. bosques
c. árboles d. madera

3. .... tenga tiempo, te ayudaré.
a. Si b. Donde
c. Cuando d. Ø

4. Si .... tiempo, te ayudo.
a. tenga b. tengo
c. tuviera d. tener

5. Si tuviera tiempo, te ....
a. ayudaré b. ayudase
c. ayudara d. ayudaba

6. Cambiaría de nacionalidad .... mi país entrara en guerra.
a. solo si b. si solo
c. cuando solo d. si sí

7. .... asesinar a alguien, tendría que estar loco.
a. Por b. Porque
c. Para que d. Para

8. Solo asesinaría a alguien .... de que estuviera loco.
a. en el caso b. solo si
c. si d. cuando

9. Si hubiera terminado ayer, te lo ...., pero no tuve tiempo. ¡Lo siento!
a. habría llevado b. haya llevado
c. llevase d. llevé

10. Si Colón no .... América, los americanos no hablarían español.
a. descubriese b. hubiese descubierto
c. descubriría d. habría descubierto

11. Completa el refrán: **más vale lo malo conocido** ....
a. que lo bueno por conocer
b. que el diente desconocido
c. que la boca del asno conocida
d. que las barbas de tu vecino

12. Completa éste también: **más vale pájaro en mano** ....
a. que la boca del asno
b. que las barbas de tu vecino
c. que los árboles con sombra
d. que ciento volando

13. • ¡Hay que ver, Montse no engorda nunca!, ¿eh?
○ No, está siempre así de delgada. Aunque .... muchísimo.
• ¿De verdad?
a. come b. comería
c. comiera d. comer

14. Dice Francisco Recuerda que estas vacaciones se va al Amazonas, aunque .... mucho calor.
a. pase b. pasaba
c. pasaría d. Ø

15. Y dice también que le da igual, que se irá al Amazonas aunque no .... dinero.
a. tuviera b. tiene
c. tendrá d. tuvo

16. Una herencia es ....
a. una especie de planta carnívora
b. un impreso
c. lo que deja un pariente cuando se muere
d. lo más antiguo que hay en una casa

17. Nadie quería a la tía Angelita, a pesar de que .... mucho dinero.
a. tendría b. tenía
c. tener d. Ø

18. Los herederos reclamaron, ... lo hicieron demasiado tarde.
a. si bien b. si mal
c. si d. bien si

19. Federico podrá quedarse con el canario de la tía Angelita a condición de que .... también con el gato persa.
a. se quede b. se quedaría
c. se queda d. quedarse

20. Luis Cernuda, como otros poetas españoles de su tiempo, tuvo que exiliarse de España después de ....
a. la Guerra del Golfo b. la Guerra Civil
c. perder el pasaporte d. quedarse sin trabajo

Tests

CULTURA - Unidades 1-6

1. Uno no es pintor.
a. Dalí. b. Gaudí.
c. Picasso. d. Murillo.

2. Si le digo a Diego que está gordito es porque...
a. está gordo, pero es chiquito.
b. está gordo pero no lo parece.
c. está gordo, pero, como lo quiero mucho, no quiero que se enfade.
d. no está gordo, es gordo.

3. Sin embargo, el gordo...
a. es el premio más importante de la lotería.
b. es el gordo que no le importa serlo.
c. es la lotería que nunca toca.
d. es el que juega mucho a la lotería.

4. Hay un nombre masculino que...
a. en español es Carles y en catalán es Carlos.
b. en español es Carlos y en catalán es Carles.
c. en español y en catalán es Carles.
d. en español y en catalán es Carlos.

5. En muchas casas españolas no hay calefacción, sobre todo en el sur, pero usan braseros eléctricos debajo de las mesas...
a. camas b. sillas.
c. sillillas. d. camillas.

6. La mili en España es...
a. una institución benéfica.
b. el servicio militar que hacen los jóvenes.
c. un billete de mil pesetas.
d. el ejército.

7. Cuando te dan las uvas,
a. es que te invitan a vino el día de Año Nuevo.
b. es que te hacen llegar tarde a la fiesta de Año Nuevo.
c. es que te retrasas mucho.
d. es que es la fiesta de Año Nuevo.

8. Un chorizo y un ladrón...
a. son lo mismo, pero chorizo es una palabra muy coloquial y ladrón vale en cualquier situación.
b. son lo mismo, pero ladrón es una palabra más vulgar.
c. no son lo mismo: el chorizo es de carne de cerdo y el ladrón es de vaca.
d. son lo mismo.

9. Uno no es escritor.
a. Isabel Allende.
b. Pedro Salinas.
c. Emiliano Zapata.
d. Francisco de Quevedo.

10. ¿Quién es Pedro Picapiedra?
a. Un pseudónimo de Pedro Antonio de Alarcón.
b. Un personaje de una novela de Pedro Antonio de Alarcón.
c. Un personaje de dibujos animados.
d. Un nombre popular que designa al español típico.

11. Al-Andalus es el nombre...
a. de España en tiempos de los romanos.
b. de la zona de España dominada por los musulmanes en la Edad Media.
c. de Andalucía en la época de los Reyes Católicos.
d. del pueblo donde nació el último rey asturiano.

12. Granada fue el último reino musulmán de la Península Ibérica y fue conquistado...
a. en el año 711 por los romanos.
b. en el año 1492, el mismo año del descubrimiento de América.
c. por los romanos, pero en 1492.
d. en 1493, por supuesto: en el 1492 ya hay bastante con lo de América.

13. No me da la gana es una forma de decir "no quiero", pero...
a. no se puede decir en cualquier situación porque es bastante brusca.
b. sólo se le dice a alguien cuando quiere salir contigo.
c. sólo lo dices cuando no quieres beber alcohol.
d. es muy formal y educado, no se dice coloquialmente.

14. Los cuentos en español suelen comenzar con la frase...
a. Fuese una vez... b. Fuérase una vez...
c. Érase una vez... d. Érase una ocasión...

15. ¿Quién es Cenicienta?
a. La princesa árabe que cautivó al rey cristiano y permitió la entrada de su pueblo en España.
b. La niña que se encontró con un lobo por el bosque.
c. La hermana de la chica que perdió el zapatito de cristal.
d. La chica que perdió el zapatito de cristal.

16. Cuando compras algo, esperas que sea...
a. bueno, bonito y barato. b. basto, bonito y barato.
c. brusco, bonito y barato. d. bueno, bonito y atún.

17. Hay muchos deseos que sólo se podrían cumplir si tuviéramos...
a. un hada madre. b. un hada madrina.
c. un hada de la guarda. d. un ángel de la guarda.

18. Emiliano Zapata fue...
a. un líder de la Revolución cubana.
b. el primer presidente de Nicaragua.
c. un líder de la Revolución mexicana.
d. un famoso actor mexicano que triunfó en Hollywood en los años veinte.

19. Uno de estos escritores vivió en el siglo XX:
a. Fernando de Rojas. b. Francisco de Quevedo.
c. Don Juan Manuel. d. Jorge Luis Borges.

20. Cuando le dices a alguien que **está bueno** es porque piensas que...
a. es sexy y atractivo, pero es una manera de decirlo muy coloquial.
b. es sexy y atractivo, pero es una manera de decirlo muy educada.
c. es muy feo, pero no quieres que se dé cuenta.
d. es muy atractivo, pero para ti lo más importante es la forma de ser y no el físico.

CULTURA - Unidades 7-12

1. Uno de estos escritores no es americano.
a. Rubén Dario. b. Jorge Luis Borges.
c. Octavio Paz. d. Luis Cernuda.

2. Calisto y Melibea...
a. son los Reyes Católicos, los que conquistaron Granada.
b. son los nombres de dos marcas de aceite de oliva muy populares en España.
c. son unos trágicos amantes literarios.
d. son los amantes de Teruel, tonta ella y tonta él.

3. ¿Cómo se llama el lugar donde viven las monjas?
a. Iglesia. b. Convento.
c. Comisaría. d. Monjerío.

4. La Ertzaintza es...
a. la policia del País Vasco.
b. una organización terrorista del País Vasco.
c. el nombre del gobierno vasco.
d. un pueblo donde se comen muchos chanquetes.

5. La prensa del corazón es el nombre de...
a. la prensa especializada en cardiología, naturalmente.
b. la prensa que trata de decir siempre la verdad, de corazón.
c. las revistas que hablan de famosos, de princesas, de gente así.
d. la prensa de fútbol, que es el deporte que más llega al corazón de los españoles.

6. El español es una lengua que procede del latín,
a. igual que el vasco y el catalán.
b. igual que el italiano, el francés, el catalán, ...
c. igual que el vasco y el gallego.
d. igual que el vasco, el catalán y el gallego.

7. Pero también tiene muchas palabras de otras lenguas, sobre todo de...
a. el árabe y el turco.
b. el árabe y el portugués.
c. el portugués y el francés.
d. el árabe y las lenguas indígenas americanas.

8. Hoy día el español se habla por toda América, pero hay dos "superdialectos":
a. uno en Europa y otro en América.
b. uno en América del Sur y otro en América del Norte.
c. uno en las costas y las islas de América y el sur de España, el otro en las zonas interiores de América y el norte de España.
d. uno en Andalucia y otro en el resto.

9. Sólo uno es un pintor barroco del siglo XVII:
a. Velázquez.
b. Goya.
c. Picasso.
d. Sorolla.

10. Y uno de estos no es español:
a. Diego Rivera.
b. Diego Velázquez.
c. Antoni Tàpies.
d. Bartolomé Murillo.

11. El fin del imperio colonial español fue...
a. en 1936, después de la guerra con el resto de Europa.
b. a finales del siglo XIX, en 1898, después de la Guerra de Cuba.
c. en 1975, cuando se murió Franco.
d. con la invasión napoleónica.

12. Federico Garcia Lorca murió en 1936...
a. a causa de un ataque al corazón.
b. por la pena que le produjo el exilio.
c. debido a una larga estancia en las cárceles de Franco.
d. asesinado por los fascistas al comienzo de la Guerra Civil.

13. Aunque la .... se vista de seda, ... se queda.
a. cabra / cebra b. mona / mona
c. foca / foca d. vaca / jirafa

14. La primera noticia literaria que tenemos de Don Juan corresponde a:
a. Una obra de Molière.
b. Un poema catalán.
c. El teatro barroco español.
d. Cervantes.

15. Uno de los directores de cine españoles con más éxito actualmente es:
a. Luis Buñuel.
b. Antonio Muñoz.
c. Pedro Almodóvar.
d. Lucas Carrascal.

16. El Pretérito Indefinido "canté" se usa en lugar del Pretérito Perfecto "he cantado" en:
a. Aragón y Navarra.
b. Andalucía.
c. Argentina.
d. Toda América.

17. Si un mexicano te comenta que se ha comprado un carro se refiere a:
a. un coche de caballos.
b. un automóvil.
c. un camión.
d. un disco de Manolo Escobar.

18. En la Edad Media en Europa no se podía fumar porque...
a. la iglesia lo tenía prohibido.
b. lo trajeron los comerciantes venecianos en el siglo XV.
c. sólo fumaban los musulmanes.
d. lo trajeron los españoles de América.

19. El día de mala suerte en España es:
a. Martes y trece.
b. Viernes y trece.
c. El trece de cada mes.
d. El trece de cada febrero.

20. Un abanico sirve para...
a. aprender a sumar.
b. señalar los libros.
c. aliviar el calor.
d. tocar la guitarra.

VOCABULARIO - Unidades 1-6

1. Son pelitos:
a. los párpados.
b. las pestañas.
c. los pómulos.
d. las pastillas.

2. Echar en cara es:
a. tirar a la cara algo.
b. decir algo directamente.
c. ponerse cosméticos.
d. reprochar algo.

3. Una no es posible:
a. Lleva sombrero.
b. Lleva el pelo largo.
c. Llevaba moño.
d. Lleva el culo grande.

4. Si alguien dice **Paco me importa un pimiento**, quiere decir que...
a. Paco le ha comprado un pimiento en otro país.
b. Paco no le importa nada.
c. Paco es importante para él.
d. No tiene una opinión clara sobre Paco.

5. Si eres ingenuo, sensato y tacaño, tus características son:
a. la ingenuidad, la sensatividad y la tacañidad.
b. el ingenuismo, la sensatez y la tacañería.
c. la ingenuidad, la sensatez y la tacañería.
d. la ingenuosidad, la sensatería y la tacañez.

6. "Si quieres hacerlo, hazlo,
a. no te cortes".
b. haz un buen papel".
c. en cuerpo y alma".
d. ponte como una moto".

7. Los langostinos son:
a. unas ruínas romanas.
b. un tipo de pescado azul.
c. filetes de vaca.
d. un tipo de marisco.

8. Dar una torta es:
a. invitar a comer.
b. pegar.
c. regañar.
d. caerse.

9. Lo más lógico es decir que Luis...
a. ha aumentado a jefe.
b. se ha vuelto jefe.
c. se ha hecho jefe.
d. se ha puesto jefe.

10. Algo relacionado con la razón es:
a. sensible.
b. sensato.
c. sentimental.
d. sensitivo.

11. El nombre de las tablas donde pones los libros empieza por:
a. est... b. ant...
c. ter... d. ías...

12. Sólo lloramos con...
a. las peras.
b. los pimientos.
c. los ajos.
d. las cebollas.

13. Si te duermes inmediatamente después de acostarte, te duermes...
a. después de ponerte el pijama.
b. mientras te acuestas.
c. nada más acostarte.
d. en cuanto llegas.

14. Si alguien te responde **en absoluto**, te está diciendo...
a. que sí.
b. que no.
c. que quizás.
d. que lo quiere todo.

15. Si en España le preguntas al portero de una discoteca si te deja pasar y él te dice **seguro**, piensas:
a. Que es muy educado.
b. Que es extranjero.
c. Que es bastante posible que sí.
d. Que no hay peligro.

16. Si tienes una cita con un amigo es que...
a. has quedado con él.
b. te has quedado con él.
c. vas a encontrarlo.
d. vas a encontrar con él.

17. Vivo cerca, así que solo .... cinco minutos en llegar a la escuela.
a. duro
b. tengo
c. soy
d. tardo

18. Quería viajar a España en abril, pero no pude hasta el mes...
a. próximo.
b. siguiente.
c. que viene.
d. que venía.

19. Cuando alguien decide no fumar nunca más, decide...
a. dejar de fumar.
b. acabar de fumar.
c. terminar de fumar.
d. finalizar de fumar.

20. Y entonces aparecieron todos de golpe significa que aparecieron...
a. con señales de golpes en la cara.
b. dando golpes en la puerta.
c. uno detrás de otro y de repente.
d. al mismo tiempo e inesperadamente.

VOCABULARIO - Unidades 7-12

1. Poner excusas consiste en:
a. Justificarse.
b. Disculparse.
c. Quejarse.
d. Enfadarse.

2. Tú no ibas en el avión siniestrado...
a. gracias a que llegaste tarde.
b. aunque llegaste tarde.
c. por culpa de que llegaste tarde.
d. como llegaste tarde.

3. Ligar es...
a. salir con los colegas.
b. salir con tu pareja.
c. buscar relaciones amorosas.
d. ir de bar en bar y beber mucho.

4. Si algo me duele,
a. me quejo.
b. lo reconozco.
c. regaño.
d. me disculpo.

5. Si me gusta mucho estudiar español quiere decir que...
a. me vuelve loco.
b. me pone como una moto.
c. me da rabia.
d. me pone alegre.

6. Sin embargo, si no me gusta nada, quiere decir que...
a. me da rabia.
b. me da vergüenza.
c. me fastidia.
d. me pone miedo.

7. Manifestar es...
a. ir por la calle protestando por algo.
b. afirmar y anunciar.
c. protestar y quejarse.
d. demostrar.

8. Las botas sirven para guardar...
a. los pies y el vino.
b. los pies y el mal olor.
c. el queso y los pies.
d. el vino y el queso.

9. La fregona es un objeto que sirve para...
a. fregar, por supuesto.
b. leer sin gafas.
c. rascarse la espalda.
d. meterse en líos.

10. A veces, después de una noche loca, uno puede .... de lo que hizo.
a. arrepentirse
b. seducir
c. agotarse
d. dormir

11. ¿Cuál de estas personas gobierna un pueblo o una ciudad?
a. Cacique.
b. Albañil.
c. Alcalde.
d. Financiero.

12. Por favor, ¿me puede decir dónde está .... de emergencia?
a. la salita
b. el éxito
c. la cuesta
d. la salida

13. El sustantivo correspondiente a amargo es:
a. Amargura.
b. Amarguez.
c. Amarguenza.
d. Amarganza.

14. Si te ponen verde, es que...
a. te tocan el culo sin tu permiso.
b. te invitan a té con menta.
c. hablan mal de ti.
d. hablan bien de ti.

15. Cuando el río suena,
a. ganancia de pescadores.
b. me da pena.
c. come magdalenas.
d. agua lleva.

16. .... su edad, baila estupendamente.
a. A pesar de
b. Aunque
c. Con tal de
d. Siempre

17. ¿Qué es un testamento?
a. Un libro mitológico.
b. Un documento para comprar una casa.
c. Un tipo de sombrero que se usa en Cataluña.
d. Un documento en el que dejas tus propiedades cuando te mueres.

18. Mi pareja es...
a. mi animal de compañía.
b. mi amante secreto.
c. la persona con la que vivo.
d. mi pariente más cercano.

19. ¿Qué es un cacahuete?
a. Una planta típica de Albacete.
b. Un excremento que, por supuesto, huele muy mal.
c. Una cosa que se come.
d. Una prenda de vestir.

20. Si digo que este examen es un coñazo, quiero decir que...
a. es muy corto.
b. es muy fácil.
c. es muy aburrido.
d. es muy femenino.

GRAMÁTICA - Unidades 1-6

1. Antes de entrar me he encontrado a Sven que me he preguntado dónde .... el examen.
a. estaba b. era
c. había d. suspendía

2. (El profesor pregunta en clase). ¿Se entiende? ¿........ claro?
a. es b. está
c. estáis d. habéis

3. (Dos amigas hablando)
● ¿Cuánto tiempo .... con Nick?
○ Uf, muchísimo, ... dos años.
a. estás saliendo / por
b. sales / desde
c. llevas saliendo / desde hace
d. estás / para

4. (Las mismas dos amigas, que dejan de hablar de hombres para hablar de motos)
● ¿Qué tal te va con la moto?
○ Bien. Hasta ahora no .... ningún problema.
a. tenía b. había tenido
c. he tenido d. tuve

5. (Una mamá contándole un cuento a su niño)
● Y entonces, el niño, mientras la bruja .... , ... la escoba mágica ...
○ ¡Qué miedo!
a. estaba durmiendo / cogió b. dormía / cogía
c. estuvo durmiendo / cogía d. durmió / cogió

6. (La mamá sigue contando el cuento)
● ¿Y qué pasó después?
○ Pues que cuando la bruja .... , ... a gritar y a saltar.
a. se daba cuenta / empezó
b. se dio cuenta/ empezó
c. se daba cuenta / empezaba
d. se ha dado cuenta / ha empezado

7. (Y al final del cuento la madre dice)
a. Y ahora, duérmetese. b. Y ahora, me te duermes.
c. Y ahora, duérmete. d. Y ahora, duérmese.

8. (Antes de salir de casa)
● Está nublado, ¿cojo el paraguas?
○ .... No va llover.
a. No lo coges. b. No los cojas.
c. No cójaslo. d. No lo cojas.

9. (Dos amigas)
● ¿ .... has dicho a tus amigos lo de la fiesta?
○ No .... he dicho todavía.
a. les / se los b. — / se lo
c. les / se lo d. — / les

10. (Dos amigos comentando una fiesta)
● Oye, ¿qué tal el sábado?, ¿visteis a Pepe?
○ ¡Qué va! Nos fuimos antes de..........
a. que llegara. b. lleguen.
c. que llegó. d. que llegaría.

11. (Recomendando una obra de teatro)
● Ve a verla. ....
a. Está muy buena. b. Es muy bien.
c. Parece muy bien. d. Es muy buena.

12. (Dos amigos charlando)
● ¿Y qué te ha dicho Lupita de mí?
○ Bueno, pues que ....
a. te gustas. b. le gustas.
c. se gusta. d. le guste.

13. (Arreglando algo en la cocina)
● Cógelo hasta que yo te ....
○ No te preocupes hombre.
a. diga. b. digo.
c. diré. d. vaya a decir.

14. (En la cafetería de una escuela)
● He hecho el examen, pero no estoy muy contento.
○ ¿Cuándo te .... los resultados?
a. den b. darán
c. vayan a dar d. dieran

15. (Dos alumnos extranjeros de español de nivel superior)
● ¿Tú sabes que es un "colador"?
○ Sí, el objeto .... separas la nata de la leche, por ejemplo, o para la pasta. Está en la lección 5.
a. con el que b. por lo que
c. con cual d. que

16. (En una farmacia)
● Buenos días.
○ Buenas. ¿Tiene algo que .... la tos?
a. quita b. quitara
c. quite d. quitaría

17. (Un compañero no ha venido a clase)
● ¡Qué extraño! ¡Qué le ....! Dijo que venía a las cuatro en punto.
○ Ya... pero son las cuatro y media.
a. haya pasado b. estaría pasando
c. pasaría d. habrá pasado

18. (En casa)
● ¿Qué hace este calcetín aquí?
○ No sé. Es posible que .... del cajón.
a. se cayó b. se haya caído
c. se hubiera caído d. se caiga

19. (Una pareja)
● Pues a lo mejor .... mi madre a cenar.
○ .... Habría llamado.
a. viene / No creo b. viene / Supongo
c. venga / Por supuesto d. venga / Seguro que no

20. (Esperando a una amiga)
● ¿Y Rosa? ¡Es muy tarde, no vamos a llegar!
○ .... que se ha perdido otra vez.
a. Me temo b. Témome
c. Temo d. Tomate

GRAMÁTICA - Unidades 7-12

1. (Sábado por la noche, en un bar de moda)
● ¿Quieres otra?
❍ ¿Qué?
● ....
a. ¿Quieres otra? b. Que si quieres otra.
c. Que quieras otra. d. Que qué quieras.

2. (En el mismo bar, un poco después)
● Pásame la copa.
❍ No te oigo.
● ....
a. Que me pasas la copa. b. Que pásame la copa.
c. Que me pases la copa. d. Que si me pases la copa.

3. (Dos amigos invitando a gente a una fiesta)
● ¿Qué te ha dicho Rosana?
❍ ....
a. Que no podía venir, que tenía trabajo.
b. Que no pudiera venir, que tiene trabajo.
c. Que vendrá si pudiera, pero tiene trabajo.
d. Que no vaya a venir, que tiene trabajo.

4. (Los mismos de antes, después de otra llamada)
● Y Jesús ¿viene?
❍ No, pero dice que ....
a. hagamos la fiesta en su casa y que traigamos las cosas allí.
b. hiciéramos la fiesta en su casa y que lleváramos las cosas allí.
c. hacemos la fiesta en su casa y que llevemos las cosas allí.
d. por qué no hagamos la fiesta en su casa y llevamos las cosas allí.

5. (Por fin en la fiesta)
● No ha venido Ana tampoco.
❍ No, y eso que me dijo que ....
a. iría seguro. b. viniera seguro.
c. habría venido seguro. d. vendría seguro.

6. (En otro rincón de la misma fiesta, dos están cotilleando)
● Oye, lo de María José no se lo cuentes a nadie, que me pidió ....
❍ Por supuesto, soy una tumba.
a. de no contarlo. b. no contar.
c. que no lo contaría. d. que no lo contara.

7. (Otras dos, en la fiesta)
● ¿Sabes? Ayer Pepe estuvo llamándome toda la tarde para .... en que viniera a la fiesta.
❍ ¡Qué pesado es!
a. insistiendo b. rechazar
c. insistir d. proponer

8. (Dos están decidiendo si reservar unos billetes de avión)
● ¿Qué hago? Si me espero, me voy a quedar sin plaza en el vuelo.
❍ .... aunque no sepas seguro si vas a poder ir.
a. Lo mejor es que hagas la reserva
b. Tienes que hagas la reserva
c. ¿Por qué no hagas la reserva?
d. Es mejor que haces la reserva

9. (Hablando de parejas, alguien pregunta)
● ¿Te importaría salir con alguien que .... mucho mayor que tú?
❍ No sé, depende.
a. fuera b. sería
c. es d. la tenga

10. (Otras dos personas, en la misma conversación de antes)
● ¿Y a ti?
❍ A mí no me importaría nada, me gusta la gente que .... experiencia.
a. tiene. b. tendría.
c. tuviera. d. tendrá.

11. (En otra conversación, pero seguimos en nuestra fiesta)
● Te voy a contar un secreto, pero me prometes que no se lo dices a nadie, ¿eh? Pepe me ha llamado no sé cuántas veces para pedirme que .... a la fiesta, ¿tú crees que le gusto?
❍ No te hagas muchas ilusiones...
a. venga b. venir c. venía d. viniera

12. (Otros en otra esquina de la misma fiesta)
● Si .... que Pepe iba a estar aquí, no habría venido.
❍ Ni yo.
a. habría sabido b. había sabido
c. fuera sabido d. hubiera sabido

13. (Siguen las dos personas de antes)
● Pero, ... me llamó tantas veces, al final tuve que venir a la fiesta.
❍ Claro....
a. porque b. como c. debido a d. por

14. (En una fiesta)
● En esta fiesta parece que .... divierte, ¿verdad?
❍ Sí, aunque estamos pocos...
a. la gente se b. se
c. se la gente d. él

15. ● Pues yo he venido a la fiesta porque, por lo menos, hay copas gratis. Es que .... sin blanca.
❍ ¡Qué cara tienes!
a. soy b. ser
c. estoy d. no tengo

16. ● Si yo .... una fiesta, no invitaba a gente como ésta...
❍ Pues no son tan feos...
a. haga b. hacer
c. hago d. hiciera

17. ● Cuando yo .... una fiesta, me buscaré a gente más interesante.
❍ ¿Y dónde vas a encontrar tú gente más interesante?
a. hago b. haga
c. hacer d. hiciera

18. ● Aunque no me .... las fiestas, he venido a esta porque Pepe me ha llamado veinte veces.
❍ A mí me pasa lo mismo, ¿nos vamos a tomar algo por ahí?
a. gustarían b. gustaran
c. gustan d. gustarán

19. (Al final de la fiesta, recogiendo vasos vacíos)
● Desde luego, vaya amigos que tengo: hago una fiesta y todos me dicen que no pueden venir.
❍ Venga, ..., que tienes unos amigos que no te los mereces.
a. no te quejes b. no te regañe
c. no te reconozcas d. no te admitas

20. ● Oye, ¿has oído tú algo de una fiesta?
❍ ¿Que si he oído algo de ....?
a. ello b. esto c. uno d. qué

Soluciones disponibles en

http://www.difusion.com/soluciones-ce-abanico